Mayıs 1994

Jean-Denis Bredin

YÜREK ÇARPINTILARI

CAN

ÇAĞDAŞ DÜNYA YAZARLARI

Bu kitap, İstanbul'da Can Yayınları'nda dizildi,
Şefik Basımevinde basıldı ve ciltlendi. (1994)
Dizgi: Serap Kılıç

Nihan Kuşcu

Jean-Denis Bredin

YÜREK ÇARPINTILARI

ÖYKÜLER

Fransızcadan çeviren
SEVİM AKTEN

CAN YAYINLARI LTD. ŞTİ.
Hayriye Caddesi No. 2, 80060 Galatasaray, İstanbul
Telefon: 252 56 75 - 252 59 88 - 252 59 89 Fax: 252 72 33

Özgün adı
Battements de coeur

ISBN 975-510-519-0

İÇİNDEKİLER

MATMAZEL

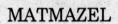

Matmazel, kızkardeşim ve benimle ilgilenirdi. Ben sekiz yaşındaydım, kızkardeşimse dokuz. Babam onu tanıtırken "Çocuklarla ilgilenen bayan," derdi. Matmazel 'hizmetçi' değildi. Yemek pişirmezdi. Çamaşır yıkamaz, ütü yapmazdı. Çocuklarla ilgili konularda aşçı kadına, oda hizmetçisine emirler bile verebilirdi. Bizi uyandırır, giydirir, saat 12.30'da ve 19.15'te bizimle birlikte yemek yerdi. Sabahleyin ve öğleden sonra bizi çalıştırır, ödevlerimizi hazırlatır, derslerimizi öğretirdi. Her gün bir saat bizi bahçeye çıkarırdı. Akşamleyin pijamalarımızı giydirirdi. Yanımıza diz çöker, üçümüz bir arada bir çeyrek saat kadar dua ederdik. Sonra bizi yatırırdı. O arada, yatağımızda bizi kucaklamaya gelmesi, tertemiz ve sağlıklı uyumaya hazır olduğumuzdan emin olması için babamızı çağırmaya giderdi. Babam geri gidince, Matmazel bize son bir öpücük verir, ışıkları söndürür, bizimkine bitişik, hiçbir zaman girmediğimiz odasına çekilirdi. Böylelikle en ufak bir gürültüye bile kulak kabartarak bize gece boyunca göz kulak olmayı sürdürürdü. Geceleyin, sakınımı elden bırakmaz, uykumuzda bize bakmak için iki üç kez kalkıp yanımıza gelirdi.

Bugün yüzünü anımsamıyorum bile. Başının üstünde toplanmış gergin siyah saçları, hep aynı gülümsemesiyle, en ufak bir kırışıklığı gidermeye ve giysilerimizi düzeltmeye hazır öne uzanmış elleriyle irice bir gölge gözümün önüne geliyor yalnızca. Matmazel hiçbir aile fotoğrafında yok. Babamız resmimizi çekeceğini söylediği zaman, bizi durmamız gereken yere yerleştirir, saçımızı başımızı düzeltir, gülümsememizi sağlar, sonra geri çekilirdi. Görünüşümüzde babamızın hoşuna gitmeyen bir ayrıntı varsa, Matmazel'den düzeltmesini rica ederdi. Bir saç tutamını geriye atacak, ya da uygunsuz bir kırışıklığı düzeltecek kadar yaklaşıp sonra geri çekilirdi. Kimi zaman babamız onu arkasına alıp "Matmazel'e gülümseyin," diye buyururdu bize. Biz de gülümserdik tabii.

Geldiğinde de gittiğinde de Matmazel'in kaç yaşında olduğunu bilmiyorum. Yirmi ile kırk arasında bir yaştaydı kuşkusuz. Anılarımın uzanabildiği kadar uzakta o hep var. Beni giydirir, soyar, banyomu yaptırırdı. Hoşlanmasam da ıspanağımı bitirmeye zorlar, hoşlansam bile yeniden komposto almama engel olurdu. Yaşını kestiremiyorum. Babamınkini de. O zamanlar büyüklerin yaşlarının olmadığını sanırdım.

Matmazel hep griler giyinirdi. Onu hiçbir canlı renk içinde gözümün önüne getiremem. Ama haftada üç kez, özel koşulların onu siyahlar giyinmek zorunda bıraktığını anımsıyorum. Salı sabahları beni Hattemer Okuluna götürürdü. Anne babaların arasına oturur, dersi dinlerdi. Bana soru sorulduğunda, benim yerime yanıt vermemek için kendini zor tutardı, öğretmen sıralamayı açıkladığında yüreği küt küt atardı. Akşam sıralamada kaçıncı olduğumu söylemek ve rapor vermek için babamın dönüşünü beklerdi. Birinci olmuşsam bunu gururla söylerdi. Değilsem başarısızlığımda kendi payını üstlenmek için gözlerini yere indirirdi. Bunda kendisinin de hatası olmalıydı. Çarşamba sabahları da kızkardeşimi okula götürürdü, ancak kızkardeşimin başarı durumunun hiç önemi yoktu. Perşembe sabahları Matmazel bizi otobüse bindirir, annemize götürürdü. Tam öğle vakti, üstümüze başımıza son bir kez çekidüzen verdikten ve eğer görünüşümüz pek iyi değilse daha pembe görünsün diye yanaklarımızı hafifçe ovuşturduktan sonra, kapıyı çalardı. Kapıyı annem kendisi açmışsa, ki bu pek enderdi, Matmazel'e gülümseyerek teşekkür ederdi, Matmazel hiç içeri girmezdi. Uşak bizi karşılamışsa, çenesini oynatarak Matmazel'e görevini tamamladığını ve bundan böyle bizimle kendisinin ilgileneceğini bildirirdi. Akşam tam saat altıda Matmazel geri gelirdi, biz kapının arkasında hazır beklerdik, annemiz ya da uşak kibarca bizi dışarıya, Matmazel'e doğru iter, o da bize ellerini uzatır, her birimiz bir elini tutardık, annemize ayrılan süre böylelikle bitmiş olurdu. Matmazel bize hiç soru sormazdı, buna hakkı yoktu. Birimiz sızlandığımızda, gözyaşlarını kurular, "Büyüdünüz artık...ağlamamalısınız," derdi kibarca, kimi zaman da, "gözlerinizi kıpkırmızı görürse ne der sonra?" diye eklerdi. Ağlamanın yasak olduğunu biliyorduk.

Matmazel, Alsace'dan gelmişti. Yılda bir kez, temmuz ayında, annemiz tatil için bizi yanına aldığında memleketine dönerdi. Babamız yalnız başına dinlenmek için okyanus kıyısında bir yerlere giderdi. Matmazel'in bu tuhaf ay boyunca bize, annemin evine bir kart göndermesine izin verilmişti, hep aynı olan bu kart, Sélestat yakınlarındaki küçük köyünün kilisesinin resmiydi. Bu açık gönderilen kartta, bize temiz havadan yararlanmak ve çok okumak gibi yararlı öğütler verir, öpücüklerle bitirirdi yazısını. 'Matmazel' diye imza atardı altına. Hiçbir zaman ne kendisi ne de yaptıkları hakkında bilgi verirdi. Zaten kendisiyle ilgili birşeyler söylemiş olduğunu hiç anımsamıyorum.

Huyu suyu nasıldı, onu da anımsamıyorum. Daha doğrusu bizim yararımıza olanlardan başka huyları yoktu. Derslerde birinci olmuşsam adamakıllı neşelenir, beni sokak ortasında, otobüste kucaklar, şarkı söylediği bile olurdu. Ama iyi çalışmamışsam, saatlerce benimle tek söz etmeden durabilirdi. Aptalca bir şey yaptığımda, uzun süre kaygılanırdı. Evin kazara şenlendiği olursa, o da neşelenirdi. Çoğunlukla babamın yüzü gibi üzgün dururdu, bu da ona uygun düşerdi.

Gerektiği gibi davranmayı ondan öğrendim. Babamız bizi uzaktan izlerdi. Pazar öğle yemeği dışında, hiçbir yemeği bizimle yemezdi. Kimi zaman akşamleyin bize kısa bir söylev çekerdi; işten, görevden, cesaretten söz ederdi, ama asıl eğitimimizi yönlendiren Matmazel'di. 'Matmazel ona söyler misiniz...', 'Matmazel engel olun ona...'. Her gün akşam yemeğinden önce, babamız, yarım saat kadar onunla odasına çekilirdi. Sanırım Matmazel ona açıklamalarda bulunur, babam da ona talimatlar verirdi. Belki de bunları yazılı olarak bildirirdi. Belki de onu azarlardı. Görgü kurallarından ve güzel ödevler yapmaktan zevk almayı bize o öğretti; büyüklerin kaprislerine göre davranmayı, onları memnun etmeyi, rahatsız etmemeyi, kapıların ardında durmamayı, zor olanı iyi olandan daha üstün tutmayı bize o öğretti. Ve her durumda, her şeyden özür dilemeyi bize o alıştırdı. Kendisi de bıkıp usanmadan özür dilerdi. Babam da başıyla onayladığını belli ederdi. Babam hayatı boyunca hiç kimseyi rahatsız etmemişti. Başka türlü yaşanabileceğini düşünemezdi bile.

Matmazel'in hasta olduğunu da herhangi bir üzüntüsünü bize yansıttığını da anımsamıyorum. Mutluluğu da üzüntüsü de bizden kaynaklanıyordu. 'Hatırım için dik durun lütfen', 'Aritmetikten kötü not almanız beni çok üzüyor.' Onu bir kez ağlarken gördüm sanırım. Nedenini şimdi hatırlamıyorum, babam bir pazar yemeğinde bize kızmıştı. Hem de ikimize birden, "Olur şey değil," demiş ve masayı terk etmişti. Matmazel, kızkardeşim ve ben dehşet içinde kalmıştık; ağladığını ve gözlerini silmek için peçetesini aldığını gördüm. Elimi onun eline doğru uzattım, benden önce atıldı, "Dik durun," dedi ve "elleriniz masanın üstünde olsun." Ağlıyordu, benimse elimden hiçbir şey gelmiyordu.

Dışarıda, Matmazel 'çocukların dadısıydı.' Bizi çalıştırmaya başlayınca 'çocukların öğretmeni' oldu. Ama babamız için, hizmetçiler için, bizim için o hep 'Matmazel' olarak kaldı. Ne bir soyadı ne de adı vardı. Bir gün, çok konuşan kızkardeşim, babası olup olmadığını sordu ona. Matmazel soğukkanlılığını yitirdi, şaşırdı kaldı. Kızkardeşim özür diledi.

Bizi seviyordu kuşkusuz. Görevi, işi buydu. Yaşantısı buydu. Başarılarımızdan gurur duyar, evde işler yolunda gitmezse üzülürdü, ateşimiz çıksa o hasta olurdu, gece gündüz bizi gözünün önünden ayırmazdı, kimi zaman akşamleyin bizi yatırıp yorganı kenarlarından sıkıştırdığında, tıpkı bir annenin yapacağı gibi bizimle konuşurdu. Başımı ellerinin arasına alıp tutması için ağladığım olurdu, "Erkekler ağlamaz" derdi, bana gülümseyerek, kısa bir süre beni göğsüne bastırır, sonra sanki incitmiş gibi çabucak beni kendinden uzaklaştırırdı. Bugün onu sevip sevmediğimi söyleyemem. Bu soruyu kendi kendime hiç sormadım. Matmazel bütün yaşamımı dolduruyordu, yolu ondan geçmeyen hiçbir şey almıyordum, perşembe öğleden sonraları anneme gittiğim zamanlar dışında hiçbir şey. O zamanlar yalnızca annem var olurdu ve Matmazel önemini yitirirdi. Orada, Matmazel kaybolur, hiç kimse ondan söz etmeyi göze alamazdı. Belki de ben sanki sevmeye hakkım varmış gibi uzaktan uzağa, pek bir şey bilmeden ve ona sezdirmeden Matmazel'i sevdim.

Bir gün Matmazel'in ayakkabı almak için beni götürdüğü bir mağazada satıcı kadın onu yönlendirmek için şöyle söylemeye yeltendi: "Bakın Madam, oğlunuza ne kadar yakıştı." "Matmazel benim annem değil," diye atıldım. Satıcı kızla birlikte Matmazel de sustu kaldı, sonra özür diledi, hayır ayakkabılar uygun değildi, sonra uğrarız deyip çıktık. Sokakta kollarına atıldım, "Kendinize gelin" diyerek beni uzaklaştırdı.

Pazar sabahları, babamız üçümüzü âyine götürürdü. Bizi kilisenin kapısında bırakır, kendisi dolaşmaya giderdi. Matmazel avuçlarımızla yüzümüzü kapatıp "Gözlerinizi kapayın," derdi bize, "karanlıkta daha iyi dua edilir." Gözlerimi kapar gibi yapıp parmaklarımın arasından ona bakardım. Başı ellerinin arasında, diz çöker, hiç bilmediğim bir yığın duayı alçak sesle mırıldanırdı. Arada sırada içini çeker, zaman zaman alnını dua sandalyesinin üstüne dayayıp eğilir kalırdı, kimin için dua ettiğini kendi kendime sorardım, babası için, annesi için, köyünün kilisesi için, belki de benim için. Ben de onun için dua etmeye koyulurdum.

Babamız giderek daha sessiz ve daha somurtkan olmuştu. Birlikte yediğimiz tek yemek olan pazar yemeği arasında bir yığın ilaç yuttuğunu görüyordum. Bir cuma sabahı, Matmazel onun geceleyin hastaneye kaldırıldığını, durumunun ciddi olmadığını, yine de birkaç gün orada kalacağını bize bildirdi. Akşamleyin onun için dua ettirdi bize. Ertesi gün, arada sırada pazar yemeğine katılan amcamız bizi görmeye geldi. Kızkardeşimi ve beni salona götürdü. Oturmuştu, sırayla bizi öperek dizlerine oturtup babamızın sabaha karşı öldüğünü, bizi çok sevdiğini, yalnızca bizim için yaşadığını ve bizim de bütün yaşamımız boyunca onu örnek alıp çok çalışmamız ve onu unutmamamız gerektiğini söyledi. Matmazel odanın köşesinde, kımıldamadan ayakta duruyordu. Amcamız yüksek sesle ona seslendi, "Siz bunlarla ilgilenin... cenaze törenine gitmeyecekler." "Evet mösyö," diye yanıtladı eğilerek. Amcam yerinden kalktı, bizi bir kez daha kucakladı, biz salonun ortasında, Matmazel duvara dayalı, üçümüz yapayalnız kalakaldık. On yaşında bile değildim.

Ertesi gün annem bizi almaya geldi. Uşağı giysilerin, kitapların, defterlerin ve birkaç hatıra eşyanın konabileceği büyük valizler getirdi. Matmazel eşyalarımızı toplarken annemiz bizi öpücüklere boğdu. Matmazel tıpkı bir robot gibiydi, valizleri indirmeye yardım etti. Annem bize şu açıklamayı yaptı: "O şimdilik burada kalacak... ona ihtiyacım yok... sonra bakarız artık..." Kapıda Matmazel bizi kucakladı, kızkardeşim ve ben ağlıyorduk, o ağlamıyordu, sokak ortasında ağlanmazdı ki. Bir yandan bizi kucaklıyor, bir yandan durmadan söyleniyordu: "Gene görüşeceğiz... görüşeceğiz..." "Acele edin," diye sabırsızlanıyordu annem, "üşüteceksiniz." Taksi ağır ağır yola koyuldu. Arka camdan Matmazel'e baktım. Kaldırımın üstünde kalakalmıştı. El sallıyordu.

Onu bir daha hiç görmedim. Köyüne döndü. Üç ya da dört kez bize öpücüklerle dolu kartlar gönderdi. Ben de ona göndermek için ünlü anıtların kartlarını aldım. Onu görmek istediğimi, gelmesinden çok memnun olacağımı ve özlemle kucakladığımı yazdım ona. Matmazel on birinci doğum günümde mutlu yıllar dilemek için yine yazdı bana. Fransa işgal edildi. Zaman geçip gitti. O gün bugün Matmazel'e ne olduğunu bilmiyorum.

BİR LEOPAR

1941 yılıydı, sanırım, annem bizi 'izci yapmaya' karar verdi. Dostlarından birçoğu bunu öğütlemişlerdi. Ortalığın karışık olduğu ve yolculuk yapılamadığı zamanlarda, izcilik gençlere fiziksel ve ahlâksal yönden eğitim olanağı sağlardı. Temiz hava alacak, doğayı keşfedecek, dostlar edinecektim, bir papaz benimle ilgilenecekti. Böylelikle perşembe öğleden sonraları ve pazar günlerinin sorun olmaktan çıkacağını umuyordum, çünkü bugünlerde çalışmak üzere odama kapanır kalırdım. Sürekli tekbaşıma kalmak ve kansız düşmek tehlikesiyle karşı karşıyaydım. Yalnızca kitaplarıyla arası iyi olan on iki yaşında bir erkek çocuğunu nasıl oyalamalı? Annem evet dememi istediği zamanlar yaptığı gibi beni onlarca kez kucakladı. Onu memnun etmekten başka düşüncem yoktu. Kabul ettim.

Ertesi hafta perşembe günü saat üçte Saint-Thomas-d'Aquin Kilisesi yakınlarındaki bir okulun avlusuna götürdü beni. İzci başkanı bizi bekliyordu. Anneme doğru ilerledi; kısa pantolonu, rozet ve madalyalarla süslü haki renkli gömleği ile bana çok garip göründü. Çevremizde erkek çocuklar oyun oynuyor, bağrışıyor, bizi fark etmeden yerde yuvarlanıp duruyorlardı. Başkan, bundan hoşlanmış görünen annemin elini uzun uzadıya öptü, annem de ona gülümsedi, benim başımı okşadı, şaşırıp kalmış olduğumun farkına varmıştı. "Göreceksin," dedi beni yüreklendirmek için, "Senin de bir üniforman olacak... olağanüstü görüneceksin." Annem üniformalara bayılırdı.

Başkan elimden tuttu. Avludan geçirdi beni, çocuklar ona yol açmak için iki yana ayrıldılar.

"Acaba seni Leoparların yanına mı yoksa Vaşakların yanına mı versem," dedi bana.

Seçimin önemini vurgulamak için sesine pek ciddi bir hava vermişti.

"Tamam, karar verdim, sen Leopar olacaksın. En iyi oba bu," diye sürdürdü sözlerini.

Hemen oyununu kesip önümüzde hazır ol durumuna geçen bir çocuğa başıyla işaret etti. Çocuğun upuzun bacakları, kısacık pantolonu ve gururlu havası dikkatimi çekti.

"İşte bu Bernard... senin obanın lideri. –İşte bu da yeni gelen, onunla sen ilgilen," dedi Bernard'a.

Bernard bana bakıp gülümsedi, ben de karşılık verdim.

"Arkamdan gel," diye buyurdu bana. Peşinden gittim.

İki kat çıktık, Bernard basamakları koşar adımlarla çıkıyor, bense takılıp düşmemek için çaba harcıyordum. Bir sürü yazılar, resimler, fotoğraflar ve İsa resimleriyle kaplı, yalnızca birkaç sandalyeyle döşenmiş küçük bir odaya girdiğimizde, karşıma geçip baştanayağa uzun uzadıya beni süzdü ve tam gözlerinin içine bakmak zorunda bırakarak şöyle konuştu:

"Benim adım Bernard de Récy, senin obanın başkanıyım."

"On beş yaşındayım ve yalnızca Tanrıdan korkarım," diye sürdürdü sözlerini.

Sonra bir an susup,

"Ya sen, kaç yaşındasın?"

Lisede beşinci sınıfta okuduğumu, on iki yaşında olduğumu, babamı henüz kaybettiğim için annemin izci olmamı istediğini anlatmaya başladım. Aslında babam üç yıl önce ölmüştü, ama bu itirafla başkanımı duygulandıracağımı umuyordum. Sonra, elimden çalışmaktan başka bir şey gelmediğini, tüm bunların benim için çok yeni şeyler olduğunu, sıkıntılı halimi hoş görmesini söyledim, yüzüme uzun uzun bakarak beni dinliyordu, giysilerim ve sesim onu şaşırtmış olmalıydı. Bernard de Récy kolları bacakları çıplak, yakası paçası açık, davranışları özgür dolaşıyordu, açıklamalarımı bağışlaması için bir yığın gülücüğü de eksik etmedim, sözümü kesip:

"Gerçekten izci olmak istiyor musun?" diye sordu.

Çok emin bir tonda, "Evet," diye yanıtladım, çünkü onu düş kırıklığına uğratmak istemiyordum.

"Tamam işte, şimdi oldun," dedi bana.

Bacaklarını açıp kollarını kavuşturdu ve kendinden emin bir üstünlükle konuşmaya başladı benimle. Tıpkı bir lider gibi konuşuyordu. Çalışma saatlerini, benim katılacağım etkinlikleri anlattı bana; obayı, obayı oluşturan yüksek nitelikli, cesur, yorulmaz, hepsi birer gerçek izci olan yedi genci tanıttı bana. Ben de onlar gibi olacaktım. Bundan böyle günler ve geceler boyu uymak zorunda olduğum ilkeleri bir bir anlattı. Okul işlerinin yaşamının tüm vaktini aldığını anlamıştı ve bu değişmeliydi.

"Tanrı için, erkek kardeşlerin için çalışmak zorundasın, kendin için değil," dedi.

Artık çalışmış olmak için çalışmak zorunda değildim, başka türlü çalışmalıydım, kendimi adamalı, kendimi karşılık beklemeden, özellikle karşılık beklemeden vermeliydim, konuşurken coşuyor, bacaklarını kasıyor, zaman zaman da parmaklarının üstünde dikeliyordu. Bugünden itibaren kendisine güvenebileceğimi söyledi bana. Leoparlar arasında, yaşam boyunca ve ölünceye kadar geçerliydi bu; Bernard de Récy'den ne olursa olsun her şeyi isteyebilirdim, biz kardeştik artık ve Tanrı bunu biliyordu! Sonra, üniformadan söz etti, gelecek perşembeden itibaren ben de üniformalı olacaktım, Fransa yenik düşmüştü, bu bile izcilerin üniforma giymeleri için yeterli bir nedendi, benim giysimi ayrıntılarıyla anlattı, bundan zevk alır gibiydi.

"Dikkat et," dedi, "Leoparlar çok kısa pantolon giyerler..."

Çıplak bacaklarına baktığımı gördü.

"İşte bunun gibi, evet işte böyle..."

Sonra gururla ekledi:

"Gerçek bir izci gözlerinden ve bacaklarından tanınır."

Sonra kardeşçe bir tonla birkaç öğüt daha verdi: İki büklüm duruyormuşum, saçlarım biraz uzunmuş, kolayca kızarıyormuşum, ilk andan beri bunlar dikkatini çekmiş, çok utangaçmışım, ama tüm bunlar geçecekti, hiçbir Leopar utangaç kalamazdı, hepsi birkaç ay geçmeden birer gerçek delikanlı olmuşlardı.

"İlerde ne olmak istiyorsun?" diye sordu birden, ilk karşılaşmamızın sona ereceğini anladım.

Hiçbir fikrim yoktu, aklıma yatan ya doktor ya da öğretmen olmak diye yanıtladım. Karşısında tıpkı bir çocuk varmış gibi kibarca gülümsedi.

"Bunlar yalnızca meslekler," diye karşılık verdi. "Göreceksin, başka seçenek yok, daha doğrusu tek bir seçenek var!"

Elimi sıktı.

"Bizler kahraman ya da ermiş olacağız."

Ve koşarak çıktı.

İlk haftalar beklediğimden daha kolay geçti. Bernard tatlılıkla, ama kararlı davranarak, beni alıştırmak için bir hayli zaman harcadı. Perşembe günü öğleden sonraları lokalde bile beni izlemeye ara vermedi. Olabildiğince uzun süre beni yanında alıkoyuyordu. Bana oyunları, koşmayı, yürümeyi öğretiyor; dua etmek, papazı ya da izci liderini dinlemek için ayakta olduğumuz zaman nasıl durmam gerektiğini söylüyordu. Konuşurken çok özenli bulduğu sözcüklerimi düzeltiyordu. "Tıpkı bir öğretmen gibi konuşuyorsun," diyordu bana. Kuru, çabuk, anlaşılması kolay izci dilini öğretiyor, beni giderek daha zorlaşan, kendi deyimiyle beni güçlüklere alıştırmaya yönelik bir sürü denemeden geçiriyordu. Bütün bunlardan hoşlanmıyor değildim. Alışkın olduğum işlerin bir kısmını, çalışıp didinmeyi, ortaya birşeyler çıkarmayı, kaygı duymayı bunlarda yeniden buluyordum. Asıl güçlük, gülünç olmaktan ileri gelen korkumdu, çünkü zaman zaman yerde sürünüyor, tozun toprağın içinde herhangi bir görevin peşinden gidiyor, eve yırtılmış giysilerle dönüyordum. Öteki çocuklara, kayıtsızlıklarına özeniyordum. Sokakta kir pas içinde, yırtık pırtık giysilerle, kimi zaman kan içinde dolaşırlar, hiç aldırış etmezlerdi; hatta savaştan dönen askerler gibi. Sanırım, bundan gurur bile duyuyorlardı.

Perşembe toplantıları yalnızca beden eğitimi niteliğindeydi. Oymağımız, rakip yokluğundan kendi içinde iki düşman kampa ayrılmadıysa başka oymaklarla karşılaşma yapma zorunda olduğumuz büyük pazar oyunlarına hazırlanırdık.

Pazar günleri, Paris yakınlarındaki ormanlardan birinde hemen hemen hiç değişmeyen bir düzende geçerdi. Gün, ağaçlıkların ortasındaki bir düzlükte erkekler arasında yapılan bir âyinle başlardı. Bütün izciler üniformalarımızı giymiş, ayakta, omuz omuza vererek yaşam ve güç verdiği için Tanrıya şükreder, cesaretimizi ve sevgimizi O'na adayacağımıza söz verirdik, papaz çabada ve özveride bizi yüreklendirici sözler söylerdi, Tanrıdan, Fransa'dan, delikanlılıktan söz ederdi. Ertesi sabah ya da yıllar sonra günü gelip de öldüğümüzde cennete gideceğimizi, ölümünse dinlenceden dönmekten başka bir şey olmadığını anımsatırdı, o zaman ölümün bizi korkutmadığını bilirdik, gözümüzü kırpmadan ölümü beklerdik. Ondan sonra, peş peşe, bundan böyle ölmeye ya da yenmeye hazır, gözlerimizi kapatıp dua ederdik. Âyin bittiğinde yine ayakta, yine kımıldamadan, bir ağacın tepesine çekilen Fransız bayrağına bakardık. Başkan âyinden önce en uygun ağacı seçerdi, bayrağın çekilmesine engel olabilecek dalları kesmek için iplerle ve testereyle donanır, bu görkemli bayrak törenini önceden hazırlamış olurdu, bayrak yükselir, biz gözlerimizle bayrağı izler, onunla birlikte yükselirdik, yalnızca düşlerimizdeki ezgileri ve arasıra da çevredeki ağaçlıklarda kıpırdanan tavşanları ve köstebeklerin gürültüsünü duyardık. Fransa ve Tanrı bizi korurdu, biz de onları ve yeter ki güneş üstümüze doğsun, o an eşsiz bir an olur, hiçbir şeyin asla bizi durduramayacağını hissederdik.

Yürüyüşler, molalar, kovalamacalar sürüp giderdi, kuru bir ağacın dibinde yaprakların üstünde yüzükoyun sessizliği dinlemek ve düşmanı beklemekle geçen saatler, beklenmedik azgın saldırılar, savaş çığlıkları, göğüs göğüse boğuşmalar, böğürtlenlerin, taşların içinde gırtlak gırtlağa kavgalar, bitip tükenmeyen çarpışmalar ve sonra başkanın çığlığı her şeyi bitirirdi, herkes ayağa kalkar, sıra olur, kan ter içinde, soluğunu toplamaya, üniformalardan geriye kalanları yerlerine koymaya çalışıp birbirinin yardımına koşmaya, yaralarını sarmaya hazır olurdu. Ve işte son dua, Sen'in yaralı bereli evlâtlarının duası, hiçbir zaman böylesine kardeş olmamışlardı, hiçbir zaman bu kadar Sen'in evlâtların olmamışlardı, papaz, bütün bu donup kalmış, ağaçlar gibi birbirine bitişmiş, karşılıklı alıp verdikleri coşku ve cesaret gövdelerinde ve ruhlarında iz bırakmış olan bu savaşçıları seyre dalar, izciler diz çöküp başlarını önlerine eğer, çabucak son bir dua daha ederlerdi, çünkü Paris treni beklemez, bu çocuklar kesinlikle birer kahraman ya da ermiş olacaklar, ışıl ışıl bakışlı, yaralı bereli bacaklı bu gençler, tren istasyonuna kadar çabuk çabuk yürümeleri gerek, savaş sonrası sessizliğinde son bir yürüyüş daha, güçleri tükenmiş, ama neşeliler, düşünmekten kendilerini alamazlar, çünkü pazar günü bitmiştir artık. Papaz arkalarından gider, herkes için dua eder, Tanrının evlâtlarından hoşnuttur.

Bernard bana her zaman en iyimiz olarak görünürdü. Hiç kimse onun gibi dövüşemez, hiç kimse onun gibi dua edemezdi, yaralıları tedavi edip güçsüz düşenleri yüreklendirerek Leoparları bıkıp usanmadan korurdu, kendi örnek kişiliğiyle ve dikkatiyle bizi adamakıllı coştururdu. Kimi zaman, büyük kavgalardan önce sekiz Leoparını çevresinde toplar, iri kollarını omuzlarımıza dolayıp bizi kucaklardı, bizimle tatlılıkla konuşur, Tanrıya yaraşır kimseler olduğumuzu ve bizimle gurur duyduğunu söylerdi. Bizi kırmamaya özen göstererek sitemler yağdırırdı, kahramanlık yolu kolay değildi, İsa'nın kendisi bile bir an zayıflık göstermişti, sonra tek söz etmeden, hep aynı bakışla sırayla bizi süzerdi, bizi beğenirdi, bizi severdi.

Benimle özel olarak ilgilenmesi doğal gelirdi bana. En son gelen bendim, üniformam kusursuzdu, gömleğim kirlenince canımın sıkıldığını belli ederdim, ilk fırsatta saçımı başımı düzeltirdim, sesim ve konuşmam biraz modası geçmiş bir eğitimim olduğunu ele verirdi. Öteki çocuklar bunlara önem vermezlerdi. Bana kendilerinden biriymişim gibi davranırlardı ve hoşlarına gitmediğim zaman bunu açık açık belli ederlerdi. Buna karşın Bernard tuhaflıklarımın hiçbirini gözden kaçırmazdı.

Onları düzeltmeye çalışırdı. Özene bezene ütülenmiş bulduğu gömleklerim, yeterince kısa bulmadığı şortlarım hakkında bana önerilerde bulunurdu, annemin oda hizmetçisinin şortlarımı kısa pantolona benzetmek için yapmaya çalıştığı özenli ütü çizgisine bile hayıflanırdı. "İzcilerin şortları kavga etmek içindir, baloya gitmek için değil." Bana başka türlü yemeyi ve içmeyi öğretti: "Her zaman kentte yemek yer gibi bir halin var." Yaz kampı boyunca bana dövüşmeyi öğreteceğine söz verdi. "Tıpkı bir kız gibi dövüşüyorsun, yumruk atmış olmak için yumruk vuruyorsun sanki." Yetersizliklerimi bağışlaması için yaşantımı anlatır, ona annemden söz ederdim. Ondan önce hiç kimseye annemden söz etmemiştim. İtiraflarımı dinlemek istemediğini, kendisiyle ilgili bana hiçbir şey söylemeyeceğini, bana da hiçbir zaman hiçbir şey sormayacağını sezdirirdi. Yalnızca, ilk karşılaşmamızdan beri kardeş olmak için yaratılmış olduğumuzu ve her geçen gün daha da yakınlaşacağımızı anlamıştı.

Yaz kampından önceki perşembe günü, kaygılı göründü.

"Vazgeçmedin değil mi? Kampa geliyorsun?"

Başımı salladım, elbette gidecektim, annem kararsızlık geçirmişti, Auvergne'de üç hafta, özgür bir bölgede, benden haber almadan geçecek üç hafta, sonra açık havada ve beden eğitimiyle geçecek üç hafta düşüncesine boyun eğmişti, bu yaz kampı bana çok iyi gelecekti! Bernard elini omzuma koyup: "Ya gelmeseydin," dedi bana... Cümlesini tamamlamadı, beni itti, gülmeye çalıştı.

"Aslında, umurumda değil," ve çekip gitti.

Trende, beni yayına oturttu. Çadırda kendi yanındaki yerde yatmamı buyurdu. Son gelenin birincinin yanında yer alması gerektiğini söyledi, kural buymuş. Obanın üçüncü kişisi, kavgacı, iri yapılı bir çocuk, "Besbelli bu senin gözden," dedi. Birbirlerinin üstüne atılıp yerde yuvarlandılar. Bütün Leoparlar gösteriyi kaçırmamak için çömeldiler. Bernard'ın benim için dövüşmesi hoşuma gitmedi değil. Rakibini perişan etmesi on dakika bile sürmedi. Gururlu ve üstü başı yırtılmış olarak ayağa kalktığında hepimize sırayla baktı. Teşekkür etmek için elimden geldiğince gülümsemeye çalıştım, ama hiç oralı olmadı.

Her gün pazar gibiydi. Yine de bu kampın bitmesi için sabırsızlanıyordum. Annemden hiç mektup alamadığım için kaygı duyuyordum ve günün yorgunluğuyla geceleyin çadırda gözümü bile kırpmazdım. Bernard'ın dingin, düzenli soluğunu dinlerdim, uyku tulumuna girer girmez uykuya dalardı, ben üşürdüm, her yandan garip sesler duyardım, annemin uyuduğunu, uyumadığını, kalkıp su içmeye gittiğini, durmadan gezindiğini, kaygılı olduğunu gözümün önüne getirirdim. Arasıra Bernard uykusunda konuşurdu, şarkı söyler gibi, düşlerini tahmin etmekle vakit geçirmeye çalışırdım, ancak gün ağarırken uyuyakalırdım. Doğan gün güven verirdi bana, ama tam o zaman uyanmak gerekirdi ve Bernard elimden tutup çeker beni uyku tulumundan çıkarırdı, çabucak dua eder ve kafamızı dereye gömüp yıkanırdık, benimle eğlenmek için birdenbire karnıma bir yumruk yapıştırırdı, koluma girer, "Sen şımarık bir çocuksun," diye tatlı bir gülümsemeyle takılırdı bana.

Her akşam, birlikte yaptığımız son duadan sonra, izciler dağılırdı. Her oba kendi çadırına dönerdi. Yavaş yavaş yürürdük, çünkü papaz bize geceden, ölümden, yıldızlardan ve sonsuzluktan söz ederdi, sonunda bizi Tanrıya emanet eder ve bu da bizi daha ağırbaşlı olmaya iterdi. Bernard sık sık yanıma uğrardı. Elimden tutar, bir ara beni ormana çekerdi, kuru bir ağaç gövdesinin üstüne büzülüp yan yana otururduk, hiç yanıt beklemeden konuşur dururdu, ben bundan mutluluk duyardım, yalnızca onu dinlerdim. Geceleyin Tanrıya inandığını söylerdi: her gece, Tanrı yıldızların altında onu hiç terk etmezdi, oysa gündüzün kimi zaman ikircimli olurdu, hasta, can çekişen bir hayvan ya da hayvandan daha küçüğü yarı yarıya ezilmiş bir karınca, can veren bir sinek görünce duraksardı, bunların acı çektiğinden emindi ve Tanrı hiçbir ödül, hiçbir cennet vaat etmezdi, işte bunu hiç aklı almıyordu, Tanrı o an yaşamından çıkıp giderdi. İşte o sırada Fransa'yı düşünürdü. Fransa, o onu asla terk etmezdi. Ne kadar güzel, ne kadar mutsuzdu Fransa. Mareşal Pétain'in Fransa'yı kurtarmak için dünyaya geldiğinden iyice emindi, kurtaracaktı elbette, Mareşal'in Almanların Fransa'yı işgal etmelerinden memnun olduğu doğru değildi, o, Bernard de Récy, Fransa'da tek bir Alman bile oldukça içi rahat etmeyecekti ve Mareşal Pétain'in gizliden gizliye Almanlara karşı bir savaşı yönettiğini emin bir kaynaktan öğrenmişti. Günün birinde, Mareşal, Vichy'den ayrılacak, direnişçilerin arasına katılacaktı, belki de burada Auvergne'de herkesi ayaklanmaya çağıracak ve bütün izciler onun yanında savaşmak için yer alacaklardı. Bu akşam, şimdilik çok erkendi, ama o günü birlikte yaşayacaktık, o ve ben, ikimiz birlikte, Fransa'yı kurtarmak için, birbirimizin yanıbaşında kardeşler gibi kenetlenmiş olarak canımız pahasına savaşacaktık. Hiç bitmeyecekmiş gibi konuşurdu, zaman zaman sanki Tanrıyla ya da Fransa'yla konuşurmuş gibi sesini yükseltir, kolunu omzuma ya da belime dolardı. "Anlıyor musun, bizler kahraman olacağız." Birdenbire kalkıp karşıma geçer, bacakları ayrık, ellerini başının üstüne koyardı. "Söz ver, kahraman olacağız, söz ver bana." Ant içer, yavaşça onu çadıra doğru götürürdüm.

Onun sayesinde Leoparlar hemen hemen bütün oyunlarda galip geldiler. Kampın son günü, oymağın başkanı ve papaz bizim obayı övdüler, örnek gösterilmeye değer buldular. Hepimiz, ormanın ortasındaki ağaçsız alanda, bir kare oluşturacak biçimde sıra olmuş ayakta duruyorduk, akşam vaktiydi, ağaçların arasından bize kadar ulaşan tatlı bir güneş ışığı süzülüyordu. Başkanımız, "Bernard de Récy," diye seslendi. Bernard ilerledi, başkanın önünde başı dimdik, hazır ola geçip durdu. Bacakları, galip gelen bacakları daha da çıplak görünsün diye şortunu kıvırmış olduğunu fark ettim. "Seninle gurur duyuyoruz," dedi başkan, papaz da ağzı kulaklarında bu sözleri onayladı, Bernard selâm verip yanımıza döndü. Hepimiz onunla gurur duyuyorduk. Beni kucakladı.

Bu son akşam, son duanın ardından birbirimizden ayrılmadan önce benimle konuşmak istediğini, bunun kendisi için, ikimiz için çok önemli olduğunu söyledi. Ağaçların arasında uzun bir süre yürüdük, dalları ayırıp yol açarak benim önümden gidiyordu. Kamp, Leoparlar için böylesine iyi geçmişse, bu yalnızca onun obanın lideri olarak görevini iyi yapmış olmasından ötürü değildi, bir başka nedeni daha vardı, birkaç kez yineledi: "Bir başka neden." Meşe ağaçlarının arasında ağaçsız, dar bir yere varmıştık, gece yıldızlarla bezenmişti, seyrediyormuş gibi yapıyordum. "Bunun nedeni sensin," dedi bana.

Sözünü kesmeme engel olmak için elimi sıkarak çabuk çabuk konuşmaya başladı. İlk günden beri öteki çocuklar gibi olmadığımı anlamıştı, ilk günden beri birbirimiz için yaratıldığımızı anlamıştı. Hiçbir zaman böylesi bir kardeşliği aklına getirmemişti. Ben yanında olunca her şey ona çok kolay geliyordu, o an en iyi oluveriyordu, bunu açıklamaya çalışmıyordu, kardeşliğin gizi buradaydı, benim varlığım onun sevincini, gücünü arttırıyordu, ne iş olursa olsun yapabilmişti, kampın başından beri onu bırakmadığım için, kendini bir ermiş gibi hissetmişti, bir ermişten daha çok, bir kahraman gibi! Yarın tüm bunlar bitecekti, bu akşam her şey bitmeden önce bana açılmak istiyordu.

"Ya sen?" diye sordu bana.

Ne diyeceğimi bilmiyordum, kıpırdamaya bile yeltenmedim, geri dönmek istiyordum.

"Ya sen!" diye üsteledi. "Sana öğretecek o kadar çok şey var ki!"

Yanıma geldi, yanıbaşımda soluğunu duyuyordum.

"Sen hiçbir riske atılmıyorsun."

Birdenbire hiçbir nedeni olmadan beni incitmeye çalışmasını bir türlü anlayamıyordum.

"Sana, senden söz edeceğim."

Sanki onu duymamamı sağlamak ister gibi çok alçak sesle konuşuyordu benimle. Hiç kimsenin bana söylemeye cesaret edemeyeceği şeyleri söylemeye karar vermişti, çünkü hiç kimse bunları söyleyecek kadar beni sevmiyordu. Kendi gizine, bizim gizimize beni de ortak etmeye karar vermişti. O da benim gibi annesi tarafından büyütülmüştü. Babası subaymış, bir gün, bir dostuna yemeğe gitmiş, bir daha haber alınamamıştı, belki de ölmüştü, besbelli ortadan yok olmuştu, babasına benzemesini sağlamak için babası Bernard de Récy'yi nasıl yetiştirecektiyse annesi onu tastamam öyle yetiştiriyordu. Oysa ben tıpkı bir kadın gibi yetiştirilmiştim. "Sana tüm gerçeği söyleyeceğim," dedi, "lütfen dinle beni, bu son gecemiz." Bırakıp kaçmayayım diye kolumdan sımsıkı tutuyordu. Annem elbette kusursuz biriydi, ama beni bir kadın gibi, sıkılgan, duyarlı, şımarık bir kadın gibi yetiştiriyordu. Hiç kimse bunu bana söylememişti, Allahtan ki karşılaşmıştık, birbirimize gerçeği söylemeliydik, tıpkı delikanlıların, erkek kardeşlerin yaptığı gibi. İlk günden beri yapılması gereken bir görevi olduğunu anlamıştı, yani beni bir erkek gibi eğitecekti. Ben de delikanlı olmaya başlamıştım bile.

"Bacaklarına bir bak, erkek bacağı gibi olmaya başladılar bile."

Aniden kolumu bıraktı, tam karşıma dikildi.

"Güreşeceğiz," dedi, "çünkü seni alıştırmam gerek. Bu gece senin tam bir delikanlı olmanı sağlayacağım."

Ellerini omuzlarıma koydu.

"Dinle beni, gerçek bir dövüşün ne olduğunu öğrenmelisin."

Gitgide daha çabuk konuşuyordu, gerçek bir dövüşün alışmış olduğumuz çocuk kavgalarıyla hiç ilgisi yoktu, gerçek dövüş, buna yalnızca birkaç delikanlı yani buna lâyık olanlar girişebilirdi ve ben de onun sayesinde buna lâyık olmuştum. Soluk soluğa konuşuyordu. Bernard'ın her fırsatta dövüş aradığını bilirdim ve bunu istiyordu, burada, şu tuhaf anda, gecenin ortasında, bu son günün dövüşü için beni seçmesinden gurur duyuyordum, benden daha iri, daha güçlü, daha usta olduğunu biliyordum, ama hiçbir tanık yenilgimi görmeyecekti ve ben bu işi bitirmek istiyordum.

"Tamam, kabul," dedim.

O zaman, gerçek bir dövüşün asla düşleyemeyeceğim, inanılmaz bir göğüs göğüse kavga olduğunu belirtti. Tanrı bu dövüşleri yeğlerdi, bu dövüşlerde oğullarının her biri gücünden, cesaretinden, zekâsından aldığı her şeyi ortaya koymalıydı. Tanrı kendisi için böyle dövüşülmesinden hoşlanıyordu. Yeri iyi seçmek gerekiyordu, çamur, ıslak kuru, su ya da tersine taşlar, kayalar, cam parçaları yani gövdeleri kaygan, yapışkan yapan yerler, birbirine yapıştıran yerler hatta yaralayan yerler...

Ayağıyla yere vurdu, yaprakları bir yana itti.

"Bizim yerimiz burası değil," dedi, "ama olsun yine de bize uygun sayılır."

Başıyla ağaçların altındaki bir çukuru işaret etti, kuru çalılarla dolu görünen, zar zor fark edilen bir çukur.

"Asıl dövüş, her şeyin serbest olduğu dövüştür, her şeyin hatta kötü olanın bile," diye sürdürdü sözlerini, "hatta en kötüsü bile," diye yineledi.

Omuzlarımı tutup sarstı.

"Kan akmalı... anlıyor musun kan akmalı... kan gövdeleri yapıştırır... ve hiç gürültü çıkmaz, en ufak bir gürültü bile."

Bir an gecenin sessizliğini dinledi. Artık benimle değil kendi kendisiyle konuşuyordu.

"Sessizlik... hiçbir sözcük, hiçbir çığlık... vuruşların ve gövdelerin gürültüsünden başka..."

Kollarını belime sardı, beni kendisine çekiyordu. Büyük bir ciddiyetle konuştu:

"Tanrının oğulları çıplak dövüşürler."

Devam etmesine engel olmak istedim, itmeye çalıştım. Sıkıca tuttu beni.

"Kaçamayacaksın."

Tam o sırada bacakları benimkilere değiyordu. Soluk soluğa konuşuyordu. Bana: Gerçek delikanlıların birbirlerini inceleyerek acele etmeden soyunduklarını, karşı karşıya çıplak kaldıklarını, birbirlerini süzdüklerini, birbirlerini tanımaya başladıklarını, kavgaya tutuşmadan önce birbirlerini hayranlıkla seyrettiklerini, o ânın sürüp gitmesini sağladıklarını söyledi.

Sonra çabucak ekledi:

"Her bacağa, her gövdeye saldırılmaz... çirkin biriyle dövüşülmez bile."

Birdenbire beni geriye itti.

"Ben dövüşmek için seni seçtim."

Yalvarır gibiydi.

"Her gece, dövüştüğümüzü; çıplak dövüştüğümüzü düşledim..."

Soyunmaya başladı. Sert bir hareketle gömleğini çıkardı, sonra özenle ayakkabılarını ve çoraplarını çıkardı, uzağa attı. Ben de aynısını yapayım diye bir an bekledi. O sırada bakışları hep üstümdeydi ve gecenin ortasında soluğundan başka hiçbir şey duymuyordum. Yavaşça, neredeyse dinsel bir törendeymiş gibi kemerini çözdü, şortu yere düştü, bacakları ortaya çıktı, onları iki yana ayırdı.

"Sen de hazırlan," diye buyurdu.

Tek bir hareketle donunu da çıkardı, bir süre elinde tuttu, sonra yüzüme doğru savurdu.

"Şimdi, sen, soyun bakalım, korkak değilsen tabii," diye bağırdı.

Ve üstüme atıldı.

Yerde yuvarlandık, çıplak gövdesinin ve karnının ağırlığını üstümde hissettim. Sol eliyle kemerimi çözmeye çalışıyor, giysilerimi çekip çıkarıyor, bir yandan da bağırıyordu, "Sen bir korkaksın... tam bir korkak," bütün gövdesiyle beni hapsetmek ister gibi düzenli ve amansız bir hareketle üstümde yuvarlanıyordu.

Nasıl oldu bilmiyorum, çenesine bir yumruk atmayı başardım, öylesine kuvvetle vurmuşum ki bir an bilincini kaybetti. Kaçmayı başardım ve ormanda deli gibi koşmaya başladım. Ancak soluğum bitince bir tarlanın kenarında durdum. Giysilerimden geri kalanları düzene soktum ve kampa dönmeden önce saatlerce bekledim. Birkaç yüz metre geride gizlendim, çadıra gitmedim. Gün ağarırken ortaya çıktım. Bernard çadır direklerini söken, çantalarını kapatan çocukları denetleyerek görevini yapıyordu. Olup bitenden ötürü özür dilemek için ona doğru ilerledim, zaman bırakmadı. Hiçbir yanıt içermeyen bir sesle, "Çantanı hazırla," dedi bana. Ne dönüş yolunda ne de trende tek söz etmedi bana. Artık gözü beni görmüyordu.

Paris'e dönünce annemden beni izcilikten çıkarmasını rica ettim. Sonunda razı oldu, çünkü son dönemde notlarım düşmüştü. İzcilerin okula aldırmadıklarını, beni de bundan soğutmaktan büyük zevk aldıklarını söyledim. Önce rahatsız olduğumu söylemek için sonra da artık gitmeyeceğimi haber vermek için telefon etti.

Sonraki aylarda Leoparlardan ikisiyle karşılaştım. Benim yanımda Bernard'ın adını anmamak gerektiğini düşünüyorlarmış gibi onun hakkında tek söz etmediler. Zaman bu serüveni beraberinde götürerek geçti. Ama Üniversite Sokağında gezindiğim bir gün, sanırım Karnavalın son günü, bana doğru gelen Bernard'ı gördüm. Aynı kaldırımda birbirimize doğru yürüyorduk, karşılaşmamız kaçınılmazdı. Bana elini uzatmadı. Birşeyler geveledim, bana kızmamasını, her şeyi unutmasını istedim ondan. Şöyle yanıt verdi sözlerime:

"Sen, sen beni unutabilirsin... Senin için kolay bu."

Sonra ayakkabılarına bakarak ekledi:

"Seninle hiç karşılaşmamış olmayı dilerdim."

Sonra yanıt vermemi bile beklemeden yoluna devam etti.

Bernard de Récy, Vercors direnme örgütündeyken 1944 yılında öldürüldü. Öldüğünde 18 yaşında bile yoktu.

FRANSIZCA
KOMPOZİSYON DERSİ

Feldman'ı Charlemagne Lisesinde üçüncü sınıftayken tanıdım. 1943 yılıydı. Feldman, göğsünde Yahudi yıldızı taşırdı, ama bu yalnızca ona özgü değildi, sınıfımızda çocukların yarısından fazlası ceketlerine iğnelenmiş ya da gömleklerine dikilmiş olan aynı yıldızı taşırlardı. Ancak onun yıldızını görmek için çok yakınında olmak gerekirdi. Feldman iri yapılı, çok zayıf, adamakıllı kambur biriydi, uzaktan bakılınca yalnızca kamburu ve uzun kızıl saçları görünürdü. Lisenin avlusunda kollarını göğsünde kavuşturmuş, bir köşede dururdu, sanki alçak sesle konuşuyormuş gibi dudakları kıpırdar, biz de derslerini ezberlediğini düşünürdük. Her zaman, elinde belini daha da büken üstü yırtılmış, eski siyah bir valiz taşırdı. Düzineleri bulan kitaplarının, defterlerinin, kalemlerinin hepsini oradan çıkarırdı. Giysilerini bile bunun içinde sakladığı söylenirdi.

Feldman kimseyle konuşmaz, hiç kimse de ona tek söz söylemezdi. Onunla aramızda ancak çok gerekli birkaç sözcük geçerdi. Az da olsa 'teşekkür ederim' ya da 'affedersiniz' dediği olurdu, sesi yüksek tonda çıkardı, ama bu bize gülünç gelmezdi ve rastlantıyla yüzümüze baktığında mavi gözleri biraz hüzünlü bir tatlılık, bir tür acıma duygusunu dile getirirdi. Hepimiz onun farklılığına saygı duyardık. Oyun oynamaz, bağırıp çağırmaz, hiçbir konuşmaya katılmazdı. Bizden farklı olduğunu kabul etmiştik, ona hiç soru sormazdık, oyunlarımızla, kavgalarımızla onu rahatsız etmemeye çalışırdık, zaman zaman rahatsız etmek korkusuyla ondan uzak dururduk, o da gülümseyerek bize teşekkür ederdi. Onu yalnız bırakmak kurallarımızdan biriydi.

Feldman, İngilizce ve resim dışında her derste birinciydi. Beden eğitimi dersine girmezdi, kamburundan ve belki de başka sakatlıklarından ötürü bağışık tutulduğu söyleniyordu. Hepimizin en iyisi olduğu hiç tartışma götürmezdi, bizim gibi öğretmenler de buna alışmıştı artık, dümdüz bir sesle, "Birinci... Feldman" diye açıklarlar, asıl sıralama sonra başlardı. Feldman ilk sırayı alır, notu da çoğu zaman 20'ye yakın olurdu, özür dilermiş gibi gözleri yerde, kollarını kavuşturmuş, ayağa kalkar zoraki gülümserdi. Bir gün, Fransızca öğretmeni şaka yapmak istedi: "Birinci olduğunuz her kez zahmet edip ayağa kalkmayın, Feldman... çabuk yorulacaksınız." Tamamen oturmaya cesaret edemedi, yarı oturmuş, yarı ayakta, eğri büğrü, üzgün kalakaldı, o an görünürde yalnızca kamburu vardı.

Üçüncü sınıfta Feldman takdirnameyle birlikte, birincilik ödüllerinin çoğunu da kazandı. Ben de birkaç ikincilik ödülü aldım. Bu gösterişli ödül dağıtım törenini anımsıyorum. Feldman adı her okunduğunda kürsüye çıkıyor iniyor, bizim ve öğretmenlerin alkışları arasında yerine dönüyordu, her zamankinden daha bükük duruyordu, basamak atlamamaya, düşmemeye çalışıyordu, yüzünü kitaplarının içine, kollarının arasına saklamak, duvarın birinin arkasında kaybolup yok olmak istediğini sanırdınız.

Onunla gurur duyardık sanırım, ama o bundan utanmış görünürdü. Hiçbir yakınının yanına gelmediğini, yapayalnız biri olduğunu, kitaplarını bile bırakacak kimsesi olmadığını gözlemledim. Bu durum öğretmenlerin de dikkatini çekmişti, tören bitince birçoğu onunla konuşmaya geldi. Ben de cesaretlendim ve tarih öğretmeni yanından ayrılınca konuşacaklarımı önceden hazırlayıp yaklaştım, "Kutlarım," dedim, "ben de seni," diye yanıtladı kupkuru bir sesle. "İyi tatiller dilerim," diye ekledim. Bu kez yanıt vermedi, elini uzattı. Sanırım daha önce onun elini hiç sıkmamıştım, çok heyecanlı bir biçimde elini tuttum, şaşırmış göründü, geri çekildi, beni incitmiş olmaktan korktu, elinden geldiğince gülümsemeye çalıştı, "Kimbilir, belki yine görüşürüz" dedi, ama bakışları çok uzaklardaydı.

İkinci sınıfta yine karşılaştık. Öğretmenler değişmişti, öğrenciler hemen hemen aynıydı, iki üç yeni gelen vardı, birkaç kişi eksikti, ama biz aramızdan birinin sebepsiz yere okuldan ayrılmasına alışkındık. O zamanlar, her öğretmen her derste yoklama yapardı ve sabahleyin ilk yoklamada arkadaşlarımızdan birinin adı okunduğunda yanıt vermediği olurdu. Hasta da olabilirdi, ama bu sessizlik iyiye işaret değildi. Öğretmen iki üç kez adı tekrarlardı. Gitmiş mi? Tutuklanmış mı? Kayıp mı? Başlarımızı kâğıtlarımızın üstüne eğerdik. Öğretmen bir sonraki ada geçerdi.

Elbette Feldman yine her yerde birinci olmaya başladı. Ödüllerin dağıtıldığı gün söylediğimiz sözler havada kalmamış gibi geldi bana. Hiç kimseye gülümsemediği gibi bana gülümsüyordu, ya da bana öyle geliyordu, ders aralarında iki üç metre yakınında olduğumda yer değiştirmeye gerek görmüyordu. Arkadaşlarımız da bunu fark ettiler, birkaçı kendimi Feldman'a gösterdiğimi ve onun gözüne girmeye çalıştığımı söylediler. Bir salı günü, oturduğu yeri sormaya cesaret ettim, "Bu semtte," diye yanıt verdi. Ve sorularımdan kurtulmak için siyah çantasını karıştırmaya koyuldu.

Annem bütün derslerde aldığım ikincilikleri, üçüncülükleri pek hazmedemiyordu. Onun ailesinde erkek çocukların hep birinci olduklarını söyledi. Bana özel ders verecek bir öğretmen gerekliydi. Ama hangi öğretmen? Tanıdığı bir öğretmen yoktu. Yalnızca müzisyenlerle, bestecilerle ve sanatçılarla görüşürdü. Evine öğretim üyelerini de davet ederdi, ama bunlar kitap yazan hocalardı. Gerçek bir öğretmeni nerede bulacağını bilmiyordu. Liseye kadar gitmeye, bu gizlerle dolu, korkutucu evrene adım atmaya çekiniyordu, ama oğlunun birinci olmasını düşlüyordu. "Kendine bir öğretmen bulmaya bak," dedi. Beni kollarının arasına aldı. "Birinci olmaya çalış, hatırım için..." Bana 'birinci sevgilim,' 'birinci aşkım' diyor, beni öpücüklere boğuyordu. Onu üzmek istemiyordum, ikinci olarak kalamazdım hep.

Edebiyat öğretmenine bana özel ders vermeyi kabul edip etmeyeceğini sormak için yaklaşmakta oldukça zorluk çektim. Sert bir biçimde derslerinin herkes için yeterli olduğu yanıtını verdi. Bir öğretmen öğrencilerinden birine paralı ders verirse öğretmenlikten çıkar, tüccar olur diye belirtti, konuşurken yüzü renkten renge giriyordu, "Bu da nereden çıktı, böyle bir şeyi nasıl düşünebilirsiniz?" derken beni tepeden tırnağa süzüyor, bense onun beni çok iyi giyimli, belki de zengin bulduğunu düşünüyordum, bağışlamasını geveledim, biraz yumuşadı, bu kadar iyi dereceler almakla bile çok şanslı olduğumu belirtti, Feldman bambaşka bir şeydi, onun 'bir özel durum' olduğunu söyledi, ben, ben özel biri değildim. Bu girişimimden ötürü bana kızmamasını rica ettim, bu annemin hatasıydı, birinci olmamı istiyordu, ben de yalnızca onu memnun etmek istiyordum, ama şimdi durumu anlıyordum, ders almayacaktım artık. "Annenize söyleyin, birinci olmak gerekli değildir." Öğretmen kibarca konuşmaya başladı benimle. Feldman sınıfta hep birinci oldu, ama bir türlü acı çekmekten kurtulamadı. Birkaç kez omzuma vurdu. "İnanın bana, başarı kötü bir alışkanlıktır." Bu sözler hoşuna gitmiş olmalı ki yineledi.

Hiçbir şeyi gördüğünü belli etmeyen Feldman acaba bizi fark etmiş miydi? Yoksa birkaç adım ötesinde beni böylesine bitkin görüp şaşırmış mıydı? İlk kez yanıma geldi.

"Bir şeye ihtiyacın var mı?"

"Bir öğretmen arıyorum." Ona ne yanıt vereceğimi bilmediğim için böyle aptalca bir şey söylemiştim, bu açıklamayı yaptığıma pişman oldum, bunu başka bir açıklamayla kapatmayı düşündüm:

"Annem daha çok çalışmamı bekliyor... Bir öğretmen bulmamı istiyor."

Feldman bana yanıt vermeden uzaklaştı. Ben de koşup tuvalete gizlendim.

Akşam, hiçbir şey olmamış gibi annemi öptüm,

ama geceleyin aptallıklarımı onarmak için çare ararken uyuyamadım. Sabahleyin erkenden bitkin bir durumda, önce Fransızca öğretmenine sonra Feldman'a açıklama yapmayı düşündüm, annemin hasta olduğunu, bu nedenle huzursuzluğumun hoşgörülmesini, kafamın karışık olduğunu, ama bundan böyle özel ders almayı düşünmeden derslerime daha iyi çalışacağımı söylemeye karar verdim.

Feldman lisenin kapısında bekliyordu. Yaklaştığımda bana doğru yürüdü, hazırlanmama zaman bırakmadan çabucak konuşmaya başladı:

"Senin sorununu düşündüm... Öğretmenin olmayı öneriyorum sana."

Hiçbir şey anlamadığımı gördü. O sırada beni yavaşça ileri doğru iterek siyah çantasını böğrüme dayayıp beni okuldan uzaklaştırmaya çalışıyordu, geç kalacağımızdan korkuyordum, yine de ona karşı koymaya cesaret edemedim, konuşmadan yürüyorduk, söze nereden başlayacağını bilemiyordu, ama zamanımız kısıtlıydı, kopuk kopuk kısa cümlelerle söze başladı, kendisinin de babasının olmadığını, annesiyle birlikte yaşadığını, annesinin dersleriyle ilgilenmediğini, annemin beni ders almaya zorlamakta haklı olduğunu söyledi, öğretmen olmak, hem de edebiyat ya da felsefe öğretmeni olmak istediğini açıkladı, bu sırrını saklamamı istedi ve buna hazırlanmaya başlamak gerektiğini, yeteneği olup olmadığını görmek için şimdiden ders vermek istediğini, yoksa başka bir yol seçeceğini, doktor ya da avukat olabileceğini bir bir anlattı. Her şeyde yetenekli olduğunu, her şeyi bildiğini ileri sürdüm, öğretmekle bilmenin hiç ilgisi olmadığını söyledi bana.

"Her şeyi bilmek... işin en kolayı bu," dedi.

Sesi incecik çıkıyordu, sözler aceleyle dökülüyordu ağzından.

"Görüyor musun, konuşmak bile zor."

Bağırmayı denedi:

"Konuşmasını bile bilmiyorum!"

Yalvarır gibi oldu. Bir sürü bahane buldum, zamanının yetmeyeceğini, bizim evde çalışamayacağımızı, çünkü bunu annemin anlayamayacağını, kuşkusuz onun evinde de olamayacağını söyledim. Zaman bulmanın kendi sorunu olduğunu, zaten doğru düzgün uyuyamadığını, günde aşağı yukarı bir saat, nerede olursa olsun, çıkmaz bir sokakta ya da Seine Nehri kıyılarında, akşamüstü çalışabileceğimizi söyledi, gerekli her şeyi kendisi getirecekti, hiç kimse bizi görmeyecek, hiç kimse hiçbir şey bilmeyecekti, ilerlemeler kaydedecektim, söz veriyordu bunun için ve o, buna karşılık, düşlerini gerçekleştirmeye, öğretmen olmaya değer olup olmadığını anlayacaktı.

Okul zamanı gelmişti, hatta geçiyordu bile, durmadan konuşuyordu, siyah çantasıyla havada yuvarlaklar çiziyordu, benimle değil sanki kendisi için konuşuyordu, öğretmen olmayı düşlüyor, ben de geç kalmaktan, ilk kez bile olsa geç kalmaktan korkuyordum, sonunda razı oldum:

"Tamam."

Çabucak "Söz mü?", "söz, değil mi?" diye yinelettiriyordu bana. Onu beklemeden koşmaya başladım, berbat durumdaydım.

Ve Feldman öğretmenim oldu. Ertesi sabah daha ikinci konuşmamızda benimle tıpkı bir öğretmen gibi tatlı bir üstünlük havasında konuştu. Ben de onu bir öğrenci gibi dinledim. Çalışma saatlerimizi, buluşma yerimizi, ilk haftanın programını, ilk dersi izleyen üç gün içinde benden istediği çalışmaları bildirdi. "Annene bundan söz etme," dedi bana ve kaygılarımdan birini önceden kestirip "bana sakın paradan söz etme," diye ekledi. "Ders sırasında bana siz diye hitap etmeni istiyorum... bu daha kolay," dedi. Başımı salladım, ne söylerse söylesin evet derdim.

Haftada dört kez akşamları saat altıdan yediye kadar buluştuk. Her gün, ertesi günkü buluşmayı belirliyordu. Genellikle yerini kendisinin belirlediği Seine Nehri kıyılarındaki tenha bir köprünün başında, kimi zaman da, yer değiştirmek daha sakınımlı olacağından yaşlıların gittiği Marais'de küçük bir parkta buluşurduk. Her zaman beni ayakta beklerdi. Hem etrafı kolaçan etmek hem de hazırlanmak için çok önceden geldiğini düşünürdüm. Kış boyu, bir cep lâmbası getirdi. Tam karşısına otururdum, siyah çantasını sıra olarak kullanırdık. Sonra gündüz çalıştık. Pazartesi ve salı günleri bana Fransızca öğretirdi, çarşamba ve perşembeleri Latinceye ayrılmıştı, Yunancaya ancak bir saat ayırıyorduk, çünkü Yunancanın öneminden kuşkuluydu. "Yöntem olarak, Yunancanın fazla bir değeri yok," diye açıklamada bulundu. Öteki dersleri ya kendini yeterli bulmadığı için ya da bunlar anlamsız göründüğü için çalışmanın dışında bıraktı. Aslında gerçek ilerlemem edebiyat dersinde olacaktı.

Zaman zaman Feldman hazırlamamı istediği konularda bana sorular sorar, kimi zaman da evde yapmamı söylediği ödevleri benimle birlikte gözden geçirirdi. Ödevimin üstünde kırmızı kalemle yaptığı, çoğunlukla okunaksız ve benim kendi yazdıklarımdan daha çok yer tutan düzeltmelerini anlatır, konuşurken yeni yorumlamalar ekler, peşinden notumu açıklardı. Sonra her dersin son on dakikasını 'College de France' adını verdiği, bir önceki hafta benimle birlikte seçmiş olduğu bir konu üstüne bilimsel ve coşkulu bir çalışmaya, amacının yalnızca bilgilendirmek değil, bana düşünmeyi ve hatta kanıtlamayı öğretecek temel kültür niteliğinde bir derse ayırırdı. "Size düşünmeyi öğretiyorum," derdi gururla. Dersin sonunda ayağa kalkıp el kol hareketleriyle dersin sonunu bağlarken var olmayan bir topluluğa sesleniyormuş gibi sırtını döner, sonra birdenbire geri dönüp bana, "Şimdi sıra sizde, toparlayın bakalım... kendi düşüncenizi söyleyin," derdi. İşte o iki üç dakikalık süre içinde zekâmı ve bilgimi kanıtlamamı, çok güzel açıklamalar yapmamı beklerdi, öğreticinin ödülü de buydu, o sırada Feldman'ın kendine not verdiğini, büyük bir öğretmen olmaya yetkin olup olmadığını saptamaya çalıştığını bilirdim. Gerginlik içinde beni dinlerdi ve ben onun hoşuna gitmek için tüm gücümü kullanırdım. "Haydi, haydi bakalım," diye buyurur, beni yüreklendirmek için 'mükemmel' diyerek sözümün arasına girerdi. Kimi zaman cesaretimin artması için, gelip geçen mavnaların gürültüsünü bastırmak için ya da heyecanımı kamçılamak için bağıra bağıra konuşurdum. O da benimle birlikte bağırırdı. Dersin sonu demekti bu. İkimizin de mutlu olduğunu düşünürdüm.

Üç ay içinde ciddi ilerlemeler gösterdim. Edebiyat öğretmenimin de dikkatini çekti bu. Yazılı notlarım 2-5 puan arasında yükselmişti, sözlü sınavlara daha iyi yanıtlar veriyordum, okul kitaplarımızda olmayan bilgiler sergileyerek sınıfı da şaşırtıyordum. Artık daha rahat konuşuyordum, konuşurken düşünüp de söylüyor gibi yapıyordum. Edebiyat öğretmenim benden memnun, beni bir köşeye çekip; "Görüyorsunuz benim dersim sizin için yeterli. Özel derse hiç ihtiyacınız yok," dedi. "Doğru," diye yanıt verdim, bir kez daha girişimimden ötürü özür diledim. Geçmişte kaldı anlamında bir el hareketi yaparak 'unutuldu' diye güvence verdi.

Feldman ve ben önlem almaktan sıkılmıştık. Anneme, istediği gibi, ders aldığımı söylemenin iyi olacağını düşündüm, özel ders alıyordum: her gün akşamüstü edebiyat öğretmeni lisede bir saat benimle ilgileniyordu. Annem yeni sonuçlardan gururlu, "Göreceksin, dönem sonunda birinci olacaksın," dedi. Öğretmen için, miktarını pek bilgim olmadan benim belirlemek zorunda kaldığım zarflar verdi. Cumartesi akşamları bu parayı dilencilere ve işsiz güçsüzlere dağıtırdım. Şüphe uyandırmamak için her hafta semt değiştirirdim. Hepsi ağızları açık bana bakakalırlar, ben de onlara bir sürü açıklamalar yapardım. Yok benim doğum günümmüş, bu parayla eğlenmelerini istiyormuşum, yok bu parayı sokakta bulmuşum, onlarla paylaşmak istiyormuşum... Bir gün cesaretlenip Feldman'a iki kitap aldım, Voltaire'in iki güzel kitabını, önce kabul etti, sonra, ertesi gün geri getirdi, gece hepsini okuyup bitirdiğini söyledi, "Beni sevindirmek istiyorsan Fransızca kompozisyonda ve Latincede birinci ol," dedi. "Ya Yunancada?" diye sordum. "Yunancayı bana bırak," dedi. Gülmeye çalıştı, çabucak bozuluveren bir gülücük, gülmeyi beceremiyordu.

Arkadaşlarımızdan hiçbirisi bizi birlikte görmesin diye, ayrı ayrı gider gelirdik. İzlenmemek için çevremizi kollardık. Bizi upuzun dolambaçlar yapmak zorunda bırakan bir sürü yol bulmuştuk. O sıralar okulda Feldman'dan uzak dururdum. Birbirimizle tek söz etmezdik. Birbirimize bakmazdık bile. Sözlüye kalktığım zaman onu göremezdim, çünkü onun sırası sınıfın öteki ucundaydı, ben de ikinci sırada otururdum. Ama onu, gözleri yerde ya da tavana dikili, ilgilenmiyormuş gibi yaptığını gözümün önüne getirirdim. Yine de yüreğinin çarptığından emindim, tıpkı öğretmen, "Feldman tahtaya," diye onun adını söylediği zamanlar benim de yüreğimin çarptığı, ellerimin titrediği gibi. Kimi zaman onun yaklaştığını, kararsız ve beceriksiz yürüyüşünü görmemek için gözlerimi kapardım. Konuştuğu zaman öğretmenin onun sözünü kesmesine dayanamazdım, Feldman ondan daha iyiydi, çünkü Feldman hep olağanüstü şeyler söylerdi. Bir gün öğretmen ona şöyle söylemeye yeltendi: "Feldman öncekinden daha az çalışıyorsunuz," kalemimi yere attım, öğretmen şaşırdı, "Neyiniz var sizin?" Özürler sıraladım, yorgundum, hasta gibiydim, Feldman yüzüme baktı, yalnız o gün sakınımsız davrandık.

Çalışmamızı ilgilendirmeyen konularda aramızda tek söz etmezdik sanırım. Ders, günlük programın açıklanmasıyla 'bugün şu konuları...' diyerek başlar, Feldman'ın kısa bir süre düşündükten sonra bana verdiği notla sona ererdi. Konuşmak için ne yer ne zaman vardı. Nerede otururdu? Kardeşleri var mıydı? Tatillerini nerede geçirirdi? Bunların bizi ilgilendirmediğini, bunlardan hiçbir zaman söz etmeyeceğimizi sezgisel olarak bilirdik. Feldman'ın hakkında Yahudi olduğunu ve öğretmen olmak istediğini biliyordum. Onu dâhi buluyordum. O da benim hakkımda, kendisinden iyi giyindiğimi, kuşkusuz daha iyi bir evde oturduğumu ve iyi bir öğrenci olduğumu biliyordu. Ona hayran olduğumu biliyor almalıydı. O da ben de gururlu idiysek, en ufak bir yarayla son derece inciniyor, yalnız kalmayı seçiyor, herkesten çekiniyor idiysek bunları birbirimize açık açık söylemeye hiç gerek duymuyorduk. Birbirimizi gerçek anlamda tanımak için değil, yalnızca karşılaşmak için bir araya geldiğimizi biliyorduk. Arada sırada, mavnaların gürültüsünün sesimizi bastırdığı bu tek dinginlik ânını birlikte dinlerdik. Düş kurardık. Kendimizi iyi hissederdik.

İkinci dönemin kompozisyon sınavı yaklaştığında Feldman ders saatlerini bir saatten bir buçuğa çıkarmak gerektiğini söyledi. "Birinci olman şart, yalnızca birinci, başka hiçbir şey değil," dedi. Evde yapılacak bir sürü ödev, çalışılacak bir sürü ders veriyordu bana, ders vermediği konularda geri kalıyordum. Matematikte geriledim. "Umurumda değil, matematik önemli değil zaten," dedi. Annem de hemen hemen aynı şeyi, matematik notumun onu ilgilendirmediğini, ama Latincede birinci olursam, ne kadar mutlu olacağını söylüyordu bana. Hem onu hem ötekini sevindirmek istiyordum. Deli gibi çalışıyordum.

Ayın son haftası, asıl kompozisyonların yazılacağı son hafta gelip çattı. Yunancadan iyi bir ödev yaptığımdan emindim, müsvettesini okuyunca Feldman da aynı şeyi söyledi. Ama Latince çeviride şaşırdım, çok sinirliydim, yetiştiremedim. Umudum kırılmıştı, kararlaştırdığımız gibi Pont-Neuf'te Feldman'la buluştum. Köprünün korkuluğuna dayanıp yazdığım metni okudu, üç büyük karşıt anlam buldu, üzgün üzgün Seine Nehrine bakıyordu, karşıt anlamları geçerli saymak için kanıt arıyordu, kendisi hiç hata yapmamıştı, yok, ben birinci olmayacaktım, şaşırmış görünüyordu, Fransızcada çok iyi yazacağıma söz verdim, sözlerimi onayladığını göstermek için başını salladı. Gerçekten buna inanıyor muydu? Düş kırıklığına uğramış ve üzgün birbirimizden ayrıldık.

Fransızcada en iyi bendim. Gerçek bir mucize! Valéry'nin bir cümlesini yorumlamıştık, öğretmen pek az söz etmişti Valéry'den. Ama Feldman bu yazar hakkında bana bir kitap vermiş, ben de hem bilgilerim hem de Tanrının lütfuyla iyi bir çalışma çıkarmıştım. Müsvettemi okuyunca Feldman sevincini gizleyemedi. "Birinci olacaksın, bu kesin." Öylesine iyimser görünüyordu ki beni bir kahveye davet etti, sağlığımıza birer portakal suyu içtik. "Birinci olacaksın," diye yineliyordu. "Sen olacaksın," diye itiraz ettim. Yazılısının gerçekten çok kötü geçtiğini söyledi, üzgündü. Bu, çok garip geldi bana, kendisi istemedikçe yazılısının kötü geçmesi olanaksızdı, şüphelendiğimi anladı, portakal suyunu içti, ben de içtim, ikimiz de ne yapacağımızı ne konuşacağımızı bilemiyorduk.

Salı sabahı edebiyat öğretmeni kompozisyon sonuçlarını açıkladı. Feldman birinci, ben üçüncü oldum, aramızda dört puan fark vardı. Başımı çevirip bakmaya cesaret ettim. Feldman belli belirsiz gülümsedi, bu gülümseme benim içindi, hoşuna giden kendi aldığı derece değil benimkiydi. Son kompozisyondan beri notum üç puan artmış, altıncı sıraya yükselmiştim. Geriye bir dönem daha kalmıştı. Tamam, Feldman öğretmen iyi iş başarmıştı.

Perşembe akşamı dersten sonra ayrıldığımızda, Seine Nehri boyunca benimle biraz yürüdü, bu pek alışılmış bir şey değildi, ama zaman geçtikçe daha az sakınır olmuştuk. O gün ‘College de France’ dersini Verlaine ve Rimbaud’ya ayırdı, bana karşılaşmalarını, dostluklarını ve yaşadıkları dramı anlatmıştı. "Rimbaud’nun yerinde olmak isterdim," dedim, "Ben de Bergson’un," diye mırıldandı. Bergson hakkında hemen hemen hiçbir şey bilmiyordum, sormaya da cesaret edemedim, sessizlikten korkmuştum. Ayaklarımızın altında akan Seine Nehrine bakarak, "Denizi sever misin?" diye sordum, "Görmedim" diye yanıtladı. Sanki ona doğru gidiyormuş gibi uzaklara daldı gitti.

Feldman’ı bir daha görmedim. Cuma sabahı öğretmen yoklama yapınca Feldman yanıt vermedi. Öğretmen "Feldman, Feldman" diye adını yeniden söyledi, aşağı yukarı iki yıldan beri Feldman bir kez bile okulu aksatmamıştı, ama o sabah Feldman gelmemişti.

O sırada öğretmen Fransızca kompozisyon sonuçlarını açıkladı. Feldman'ın yokluğu öğretmeni şaşırtmıştı, abuk sabuk konuşuyordu. Birinci olmuştum, tastamam birinci, bu çok iyiydi, bayağı ilerleme kaydetmiştim, ama Feldman yoktu ve yazılısı berbattı, akıl almayacak kadar berbat, hatalarla, yanlışlarla dolu bir yazılı, öğretmen Feldman'a ne olduğunu anlamıyordu, elbetteki bu kompozisyonun bir anlamı yoktu, Feldman'ın kafası karışıktı, canı sıkkındı, belki de hastalanmıştı, nesi olduğunu yarın öğrenecektik, Feldman'ın birinci olmaması olanaksızdı, okula gelmemesi de... olamazdı!

Feldman bir daha liseye gelmedi. Öğretmenler belki tutuklandığını, belki de gittiğini söylediler, ne olduğu bilinmiyordu. Beklemek, umut etmek gerekiyordu. Ben Feldman'ın Fransızca kompozisyon sonuçlarını beklemeden gitmiş olacağını sanmıyordum. Ancak ertesi gün gidebilirdi.

Üç ay boyunca her akşam bana ders verdiği küçük parklarda, Seine Nehri kıyılarında dolaştım durdum. Birlikte geçirdiğimiz zamanın tümünde oralarda oyalanıyordum. Onu yeniden bulmak için beklemekten başka şansım yoktu.

Kurtuluş'tan sonra ne olup bittiğini öğrenmekte çok zorluk çektim. O perşembeyi cumaya bağlayan gece, sabah saat 4'te Feldman ve annesi tutuklanmışlardı.

İkisi de Auschwitz kampında ölmüşlerdi.

ELVEDA, DOLORES

Gencecik bir avukattım. Cortambert Sokağında, bir zemin katında küçük bir daire tutmuş, ilk müşterilerimi kabul edebileceğim biçimde dayayıp döşemiştim. Kendilerini güven içinde hissetmelerini ve tekrar gelmelerini sağlamak için – olanaklıysa tabii – en ince ayrıntıya dek özen göstermiştim. Beklerken oturmaları için ne çok sert ne de çok rahat koltuklar ve müşterinin bana açılmasını sağlayacak loş ışıklar seçmiştim. Küçük bekleme odamda yalnızca kültürel dergileri bulundurmaya karar vermiştim. Şöminenin üzerindeki içine çiçek konmuş vazoysa beğenilme ve incelik izlenimi bırakmak içindi. Ancak benim, temizlik yapacak, kapıyı açıp müşterileri buyur edecek, yarım günlüğüne tutabildiğim sekreter olmadığı zamanlar telefona yanıt verecek, yani her işe bakacak, sigara tablalarını boşaltacak, yanmış ampulleri değiştirecek, tozları alacak güvenilir birine ihtiyacım vardı; kısacası o zamanların deyişiyle bana yemeğimi hazırlayacak, her an burada bulunacak, her zaman güler yüzlü, her yerde gölge gibi beni izleyecek, her şeyden anlayan bir hizmetçi gerekliydi.

Dostlarımdan biri bana Dolores'ten söz etti. İspanyolmuş, İspanyollar az para alsalar da çok çalışırlarmış diye açıklama yaptı bana. Dolores öksüzmüş, kardeşi bile, bir yakını bile yokmuş, bakacak kimsesi olmayınca, azla yetinirmiş, bu da benim için büyük bir avantajmış, bana böyle güvence verdi arkadaşım. Bir yıl önce Barselona'dan gelmiş, bıkıp usanmadan iş aramış, onu işe almak soylu bir davranış olurmuş. Dolores'in yalnız bir kusuru vardı, tek kelime Fransızca bilmiyordu, ama en kısa sürede öğrenmek için ders almaya hazır olduğunu söylüyormuş. Sözün kısası hemen hemen tam istediğim gibiydi ve büyük bir olasılıkla dürüsttü de, çünkü dindar, hatta sofu biriymiş. Dostum onunla bir kez karşılaşmış. Onun yanında çalışan hanım, kendisine iş bulmakta yardımcı olması için ziyarete gelmiş, dostum da Dolores'i mutfakta, bir sandalyeye ilişmiş otururken görmüş, Dolores ev sahibinin geldiğini görünce hemen ayağa kalkmış, bu iyi belirtiymiş ona göre, Dolores'in tepeden tırnağa simsiyah giysili, tertemiz görünüşlü, alçakgönüllü bir havası varmış, ama belki biraz asık suratlıymış, arada sırada hastalandığı olurmuş, çünkü İspanyollar sosyal yardım yasalarından yararlanmak için sık sık hastalanırlarmış, bunu yapan yalnız İspanyollar değilmiş, bütün ücretliler hastalığı bahane ederlermiş, dostum tembelliği körükleyen bu tür sosyal yardım yasalarından nefret ediyordu, ama Dolores'i bana ısrarla salık verdi. "Bak, işine gelmezse yol verirsin," dedi. Sonra büyük bir ciddiyetle, "Riske girmeden yaşanmaz," diyerek bitirdi sözünü.

Dolores bir perşembe günü, akşamüstü beni görmeye geldi. Ufacık, zayıf ve çelimsizdi, kara bir mantoya sarınmıştı. İlk bakışta simsiyah saçlarından başka bir şey gözüme çarpmadı. Gözlerini halıya dikip yalnız iki üç kez yüzüme bakmaya cesaret etti. Bir İspanyol için çok garip görünen aydınlık, hemen hemen saydam bakışları karşısında şaşırdım. Dolores'in yaşı belli değildi, belki kırk, belki altmış, doğum tarihini sordum, anlamadı, dahası sorularımın hiçbirini anlamadı. Dimdik, donmuş gibi, beni onayladığını göstermek için durmadan kafasını sallayarak, sol ayağıyla yavaşça yeri eşeleyip duruyordu, tıpkı bir boğa gibi diye aklımdan geçirdim, ülkesinden gelen bir alışkanlık olmalıydı bu. Ondan beklediklerimi, her ay ona vereceğim parayı anlatabilmek için sözden çok hareketlerle konuştum, görevlerinden birini belirtmek için ona telefonu işaret ettiğimde bir an şaşırmış göründü, parmaklarını ağzına götürdü, kollarımı havaya kaldırdım, birbirimize daha fazla ne diyebilirdik. Elimi ona uzattığımda kendisini işe aldığımı anladığı zaman elimi öpmek için eğildi. Sıkılmıştım, yine de davranıp elimi iki üç kez öptü, ne yapacağımı bilemediğim için gülmeye başladım, kaygılı neredeyse acıklı bir bakış fırlattı bana, hoşuma gitmemiş olmaktan korkmuştu. Onu kapıya kadar geçirdim, arkadan daha yaşlı, kambur ve tin tin yürüyor göründü, hoşuma gitsin diye, "Adios Dolores," dedim, elinden geldiğince eğildi. Kapıyı kapadığımda hiç de iyi etmediğimi düşündüm. Dolores hiç işime yaramayacaktı. Bana, müşterilerimde hoş bir izlenim bırakacak, güler yüzlü, genç bir kadın gerekliydi. Dolores onları kaçırabilirdi. Yumuşak başlılığımdan işe almıştım onu.

Hemen sonraki pazartesi günü işe başladı ve yıkımın boyutlarını o zaman anladım. Dolores yeteneksizin biriydi. Yemekleri korkunçtu. Yemek yapmasını bilmemekle ve damak tadından yoksun olmakla kalmıyor üstelik hiçbir araç gereci de kullanamıyordu. En azından on kez anlatmış olmama karşın yine de fırını kullanmaya yanaşmıyor, kaygılı bakışlarıyla bunu kullanmanın çok tehlikeli olduğunu anlatıyordu bana. Bulaşık ve çamaşır makinelerini kullanması söz konusu bile değildi. Defalarca ocağı yakmaya çalışıyor, tencereleri ateşin üstünde unutuyor, ocağın düğmelerini bir bir kurcalıyor, şaşırıp kalıyordu, koku dayanılmaz olunca beni yardıma çağırıyordu. Hiçbir şeyi, ekmek kırıntılarını bile atmıyordu, bunları özene bezene kâğıda sarıyor, bütün artıkları buzdolabında biriktiriyordu, öyle ki, birkaç gün sonra buraya bir şey koymak olanaksız oluyordu. Ev işlerini kendi bildiği gibi yapıyordu. Küçük bir faraş ve süpürgeyle rastgele tozları süpürüyor, birçoğunu da dokunmadan olduğu yerde bırakıyordu, sevecenlikle tozların çevresinde dönüp duruyordu, tutku dolu bir özenle kimi eşyayı on kez siliyor, ötekileri olduğu gibi bırakıyordu. Yine de Dolores hep ayakta, durmadan çalışıp çabalıyordu. Sabah saat yedide küçük odasından aşağı iniyordu. Hemen harekete geçtiğini duyuyordum, akşama kadar hiçbir iş yapmadığı için bu sürede ne yapabileceğini soruyordum kendi kendime, geceyarısına doğru yukarı çıkıyordu, gün boyu dinlendiğini hiç görmedim, yalnızca pazar günleri saat 11.30'da duaya gitmek ya da bir hemşerisiyle buluşmak için çıkıyordu. Akşam saat beşte geri geliyor, büromun kapısını tıkırdatıp ne iş yapacağını soruyordu bana, iş iş hep iş, saatlerce ayakkabılarımı cilalıyor, giysilerimi fırçalıyor, bitirir bitirmez yeniden başlıyordu, bütün bir öğleden sonrayı bir ceketi fırçalayarak geçirebilirdi. Dolores hayvan gibi çalışıyor, ama hiçbir iş yapmıyordu.

İşin kötüsü her şeyi kırıp döküyordu. Devinimleri öylesine çabuk, öylesine beceriksizdi ki eşyalara çarpıyor, bardakları, tabakları, vazoları kırıyordu. Parçaları birer birer toplamak için dört ayak üstünde yere kapanıyordu, topladıklarını sonradan dökmek üzere eski bir kutunun içine koyuyordu. Bu iş onun saatlerini alıyordu. Bir gün ona yardıma gittim, ağlamaya başladı, gizlenmeye çalışıyor bir yandan da ağlıyordu. Onu küçük düşürmüştüm. Kapı bir kez, on kez çalınabilir yine de farkında olmazdı. Eğer, şans eseri duymuşsa aceleyle sağa sola çarparak koşuşturururdu. Soluk soluğa, oldukça gülünç bir durumda kapıya varırdı. İlk günlerden beri telefona yanıt vermesinden vazgeçmiştim, zaten yanıt vermiyordu, ahizeyi kaldırıyor, dinliyor, çaresizliğini belirten hareketler yaparak olumlu olduğunu göstermek için başını sallıyor, karşısındakinin telefonu kapayıp kapamadığını bilmeden yeni bir iş çıkıncaya kadar ahize elinde kalakalıyordu.

Dolores hiçbir işe yaramıyordu. Ayın son günü, olabildiğimce yumuşak, onu işten çıkaracağımı söylemeye karar verdim. Pazar günüydü. Büroma çağırdım. Dolores kiliseye gitmek için giyinip süslenmişti. Omuzlarına mavi bir şal atmış, kafasına, yerinde durması mucize gibi görünen küçücük, siyah bir şapka oturtmuştu. Karşımda ellerini kavuşturmuş, öylece dimdik duruyordu, konuşmamı önceden hazırlamıştım, geriye ilk cümlemi söylemek kalıyordu. "Sevgili Dolores, ne yazık ki..." "Dolores üzülerek söylemek istiyorum ki..." yüzüne baktım, hiçbir zaman böylesine çelimsiz görünmemişti gözüme, elinden geldiğince iyi giyinmişti, Tanrı için mi benim için mi? Elleri şimdiden dua ediyor gibiydi. Ben ağzımı açmaya fırsat bulamadan, o söze başladı: "Mösyönün yanında çalışmaktan çok memnunum." Aksanını bile düzeltmeye özen göstererek bu sözleri ezberlemişti. Anladığımı gördü, kendinden emin gülümsedi, neredeyse mutlu görünüyordu. Bu cümleyi, bir çırpıda söylediği bu sekiz Fransızca sözcüğü öğrenmek için harcadığı zamanı, zahmeti tahmin ettim. Konuşmaya cesaret edemiyordu artık, ben de sustum, o sırada şapkasını çıkardı, başında durmasının saygısızlık olacağını düşünmüş olmalı ki ellerinin arasında tuttu. Onun için hazırlamış olduğum zarfı çıkardım, uzattım, eğilerek aldı, o an daha da küçülmüştü, dışarı çıkmak istedi, ama sırtını bana dönmeye cesaret edemedi, küçük adımlarla geriledi, kapıya çarptığı zaman döndü, koşarak çıktı.

Altı ay sonra, Dolores yaşantımda büyük bir yer tutuyordu. Sabah saat sekize doğru mutfağa giriyor, kendime ve ona kahvaltı hazırlıyordum. Bir süre kahvemi ve tostlarımı odama taşıdım, sonra mutfakta atıştırmak daha kolay geldi bana. Ben otururdum, Dolores ayakta kalırdı, aramıza mesafe bırakırdı. Yemeğimi bitirince 'tamam' derdim gelip fincanımı, tabağımı alır, ben odadan ayrılmadan önce bir şey kırmamaya çalışarak hepsini yıkardı. Öğle yemeğini evde yediğim zamanlar yemekle kendim ilgilenirdim, ben omleti karıştırırken o tavanın sapını tutardı, fırını yakmamı, düğmeleri açmamı seyreder, İspanyolca birkaç sözcük mırıldanırdı, sanırım hayranlığını belirten sözler söylerdi. Yemek odasında masamı birlikte hazırlardık, sonra benim yemek yememi seyrederken hareketsiz beklerdi. Arasıra 'evet Mösyö', 'mersi Mösyö' diye ezbere bildiği tek sözcüğü mırıldanırdı. Hoşuma gidebilecek şeyleri aramaktan bıkmaz, gereksinim duyduğum tuz, biber gibi şeyleri bulup buluşturur, kaygılanır, ama idareyi ele almaya kalkışmazdı. Onu incitmeden her hareketini önceden kestirmeye çalışırdım, ses etmezdi, ama bakışlarıyla kıpır kıpır olur, saklamaya çalıştığı özenle üstüme titrer, kafasının içinde bana hizmet etmekten bıkmaz, bense onu memnun etmekten hoşnut, mutlu olması için gülümserdim, ben gülümsediğim için o da gülerdi. Dolores alışılmış anlamda bana hiçbir hizmette bulunmazdı. Hiçbir zaman telefona bakmamasını rica etmiştim, sekreterim olmadığı zaman kapıyı kendim açmaya alışmıştım. Pazar günleri öğleden sonra, süpürgeyi alır Dolores'in hafta boyunca biriktirdiği tüm tozları silip süpürür, büyük temizlik yapardım. Bunları gizli gizli yapardım. Tüm bu işlerden sıkılmazdım, ama mesleğime biraz yorgunluk getirmiyor değildi, kimi zaman müşterilere kapıyı açtığımda sıkıldığım olurdu, hizmetçinin hastanede olduğu gibi hikâyeler uydururdum, ama bunlar önemsiz sakıncalardı, önemli olan Dolores'i hoşnut etmemdi. Akşam yemeğinden sonra çalışmaya kalınca, yarım saatte bir kalkar mutfakta Dolores'e bakmaya giderdim, çünkü ben yatmadan önce asla odasına gitmezdi. Mutfak kapısına geldiğimde her zamanki siyah giysisine bürünmüş olarak ayağa kalkar, buzdolabına dayanır dururdu. Kimi zaman çok yaşlı görünürdü gözüme, kimi zaman da, akşam vakti, lâmbalar yanmadan önce, aydınlık bakışıyla sanki genç bir kıza benzerdi. Birbirimize söyleyecek hiçbir şeyimiz yoktu, iki lâf bile edemezdik. Ama kanımca birlikteyken iyiydik.

Doğrusunu söylemek gerekirse, Dolores yavaş da olsa ilerleme gösterdi, ya da bana öyle geldi. İki üç çeşit yemek yapmasını bile öğrettim ona. Yerlere ve eşyalara alıştıkça daha az kırar oldu. Olabildiğince kibarca, ona, kullanılmayacak hale gelen, kötü kokmaya başlayan artıkları atmasını öğrettim. Her an gözüme girmeye çalışıyor, geceleyin masamın üstüne bir bardak su ya da, arasıra çalışma masamın üstüne gizlice küçük çiçek demetleri koymak gibi yeni yeni özenler bulup çıkarıyordu. Ona daha iyi teşekkür edebilmek için birkaç İspanyolca sözcük öğrendim. Sevinmiş gibi geldi bana.

Çok soğuk bir kış oldu. Altıncı kattaki odası pek iyi ısınmıyordu, Dolores'i mutfağın yanındaki çamaşır odasında kalmaya razı ettim. Bütün varını yoğunu koyduğu valizini aşağı indirdi, yanıbaşıma yerleşti, ben de rahat ettim. Geceleri uykusuz geçirdiğim saatlerde kalkıp kapısının ardından soluğunu dinlediğim olurdu. Dolores düzgün uyurdu. Otuz kez çalmasını saydıktan sonra telefona yanıt vermesini öğrettim ona, benim aradığımdan emin olacaktı o zaman. Böylelikle gün boyu sesini duyabilecektim. "Nasılsın Dolores?" diye sorardım: "Evet Mösyö," diye yanıtlardı. Defalarca yalnız bu sözcükleri söylerdik, memnun, telefonu kapatırdım, onun da memnun olduğunu sanırdım. Kimi günler onu böyle beş altı kez aradığım olurdu.

Büroma gelip giden dostlar benimle alay ederlerdi. "Dolores'in hizmetçisi," derlerdi bana, her an ona yardım etmekten kendimi alamadığım doğruydu. Yemekleri almak için kalkar, sofra takımlarını değiştirir, masayı toplardım, arkadaşlarım da yardım ederlerdi. "Neyine yarıyor o senin?" diye bana sorarlardı, haklıydılar kuşkusuz. Dolores yapmak zorunda olduğu şeyleri de yapabildiği şeyleri de seçemiyordu artık, bakışlarımı ve en küçük hareketlerimi izliyordu. Hoşuma gitmekten başka bir şey düşünmediğini bir ben biliyordum.

Ona geçmişine ilişkin sorular sormalı mıydım? Bir akşam onu lokantaya götürmeli miydim? Onu beğendiğimi göstermek için hediyeler vermeli miydim? Yaşantımızda hiçbir değişiklik yapamıyordum. Ben ona bir ev sahibinin göstereceği ilgiyi gösteriyordum, o da bana bir hizmetçinin gösterebileceği özeni gösteriyordu. Bu dünyada birbirimize değmeden birbirimize kaynaşmış geçinip gidiyorduk, binlerce söze dökülmemiş düşünce, binlerce yapılmamış hareketle ben tam bir efendi, o da sevilen bir hizmetçi olmak için her an uyum içinde oluyorduk.

İlkbaharda Dolores benim için vazgeçilmez olup çıktı. Onu daha çabuk görmek için zaten pek ender olan tatillerimi kısa tuttuğumu, geceleri daha az dışarı çıktığımı, gündüzleri gülümseyişini görmek, bana 'evet Mösyö' dediğini işitmek, yere eğilmiş bakışlarına, narin havasına yeniden kavuşmak için olur olmaz saatlerde eve döndüğümü fark ettim. Haziran ayından beri mutfakta yemeyi alışkanlık edinmiştim, onun da benimle aynı anda yemeğini yemesini istiyordum. Ben masada otururken, o da sırtını büfeye dayayıp ayakta atıştırırdı. Birbirimize hizmet ederdik. Gitgide onunla daha çok konuşuyordum, anlamıyordu, ama gülünç şeyler anlatınca gülümsüyor, üzgün bir havadaysam gözleri yaşarıyordu. Zamanın geçmesini istemiyorduk. "Nasılsın Dolores? – Evet Mösyö." Birbirimizden ayrılmaktan korkuyorduk.

Temmuz ayının başında hastalandı. Cerrah arkadaşlarımdan birinin servisine yatırdım. Şakayla karışık korkunç gerçeği haber verdi. "Başka bir hizmetçi bulmalısın kendine. Akciğer kanserinden ölüyor bu." Sonra, "Ücretli izinlerinden bile yararlanamayacak," diye ekledi.

İlk günler, hastaneye sık sık telefon etmemi ve onun için ayarladığım özel odaya günde iki kez ziyarete gitmemi açıklayacak bahaneler buldum. Aslında o benim hizmetçim değil, benim yanımda barınan ve bana yardımcı olan uzak bir kuzinimdi. Durumu daha ağırlaşınca bütün uydurduklarımı bir yana bıraktım. Dolores'in hiçbir yakınını, hiçbir arkadaşını tanımıyordum. Gülünç duruma düşmekten korkmadan onun yanında kalabiliyordum artık. Hastanenin yakınlarında bir otele yerleştim, böylelikle tüm görüşme saatlerini onunla geçirmem olanaklı oldu. Neredeyse işi bırakmıştım. Allahtan ki tatil zamanıydı. Eli elimde ayakta duruyordum. Yeterince gücü olunca sevecen, eli kolu bağlı, melek gülümseyişiyle yüzüme bakıp gülümsüyordu, "Nasılsın Dolores?" diyordum, çabucak iyileşeceğini söylüyordum. "Mösyö... Mösyö..." diye yanıt veriyordu, öylesine zayıflamıştı ki yüz yaşında görünüyordu.

18 Ağustosta, kat hemşiresi beni görmek istediğinde Dolores'in başucundaydım. Koridorda buldum onu. Bana İspanyolca bildiğini ve bir gün önce Dolores'in zar zor kendisiyle konuştuğunu anlattı: "Dün benimle konuştuğu iyi oldu, çünkü bugün buna da gücü yok," dedi. Dolores ona on sekiz yaşındayken pek az tanıdığı birinden bir oğlu olduğunu, ailesi tarafından reddedildiğini, sevgili oğlu Antonio'yu yedi yıl Barselona yakınlarında bir köyde büyüttüğünü ve birkaç gün içinde elinde ölüp gittiğini anlatmış. Onu toprağa verdikten sonra Madrid'e gitmiş. Yirmi yıl bir ayakkabı fabrikasında çalışmış, işine son verildiğinde Fransa'da iş bulmak umuduyla İspanya'dan ayrılmış. Biriktirdiği tüm parasını Antonio'sunun mezarına çiçek göndermek için harcıyormuş. Ülkelerarası çiçek gönderme servisleri aracılığıyla her ay mezarını çiçeklerle donatıyormuş. Oraya ancak yılda bir kez, Tanrının izniyle kimi zaman iki kez gidebiliyormuş, ama Antonio'nun en güzel çiçeklerle bezenmesini istiyormuş. "Size söylememi rica ettiği şey şu," dedi hemşire, "yatacağı yerle, mezarıyla sizin ilgilenmenizi istedi." Hemşire bir kâğıt uzatıp "Adresi bana yazdırdı," dedi ve "ta oralardan Antonio'ya ve size göz kulak olabileceğini söyledi," diye ekledi hemşire.

"Garip bir öykü," diye de yorum yaptı. Dolores'in oğlunun yanında gömülmek isteyip istemediğini sordum. "Bundan söz etmedi," diye yanıtladı.

"Kendisine sorun bunu... eğer mümkün olursa tabii..."

Dolores'in odasına döndüm. Hemşirenin benimle konuştuğunu ve görevimi yerine getireceğimi bilmesi için defalarca yavaş yavaş başımı salladım. Anlamış göründü, bana gülümsemeye çalıştı, alnından öpmeye yeltendim. "Dolores... Dolores..." deyip durdum. Beni duymuş olduğunu sanmıyorum.

Cenaze töreninde yalnız ben vardım. Antonio'nun mezarına gömülmesi için naklettirdim. Burası serviler arasında, çiçeklerin altında gizlenmiş, dinsel eşyalarla kaplı, siyah mermer kapaklı, büyük bir mezardı. Birkaç yıl, tıpkı onun gerçekleştirmek istediği gibi temmuz ve aralık aylarında, yılda iki kez oraya gittim. Şimdi ancak temmuz ayında gidebiliyorum. Birkaç demet çiçek alır, mezarın üstüne oturup "Nasılsın Dolores?" diye mırıldanırım. O da, sırtını buzdolabına dayamış, bakışları siyah pabuçlarına eğilmiş, "Evet, Mösyö," diye fısıldar. Birlikte, suskun kalırız.

ÖLDÜRESİYE SEVMEK

Bir cuma sabahı, Auguste Velours'un savunmasını yapmak üzere resmen atandığımı öğrendiğimde iki yıla yakın bir süreden beri avukatlık yapıyordum. Karısını öldürmekle suçlanıyordu. Sorgu yargıcı görüşme iznimi imzalarken, "Onu pazartesi günü dinleyeceğim," dedi bana. Yargıç yüzüme bakma lütfunda bulundu. Yepyeni avukatlık cübbem, utangaç bakışım, sıkıntılı duruşum, hepsi benim acemi olduğumu belli ediyordu. Beni uyarmak inceliğini gösterdi, "Korkunç bir dava bu, avukat bey, böylesine korkunç bir davayı asla görmemişsinizdir." Hiçbir dava görmediğimden kuşkuluydu, yine de beni ciddiye almış gibi görünüyordu. Teşekkür ettim, dosyayı incelemek istediğimi söyleyip özür diledim. Yargıç gülümsedi. Nasıl olur da baro deneyimsiz gençlere böylesine zor işleri emanet edebilir? Öte yandan, bu durum onu rahatlatıyordu; bu genç avukat kendisini pek fazla uğraştırmayacaktı. "Pazartesi günü görüşmek üzere avukat bey." Hafifçe eğilerek çıktım. Pazartesi saat 14.00'te Auguste Velours'un yanında yerimi alacaktım, adalet bana güvenebilirdi.

Hapisanenin görüşme odasında, tutukluyu beklerken kendime çekidüzen verecek zaman buldum. Oturdum, bacak bacak üstüne attım, dosyayı önüme aldım, daha doğrusu iki dosyayı üst üste koydum, çünkü Auguste Velours'unki henüz çok inceydi. Gözlüklerimi kabından çıkardım, gereksinme duymuyordum, ama gözlük hareketlerimi kolaylaştıracak, bana otoriter bir hava verecekti, gözüm kapıda Auguste Velours'un gelmesini kollarken okur gibi yaptım: Kapıda göründüğünde, tutuklulara saygı duyduğumu belli etmek amacıyla dirseklerime dayanıp ayağa kalktım, ölçüyü kaçırmadım, ben bir avukattım; adaletin yardımcısı, resmi savunma avukatı, karşılık beklemeden yardım edecektim, herhangi bir dost değildim. Auguste Velours karşımda, ayakta, sımsıkı saran kot pantolonuyla kıpırdamadan duruyordu, yüzünü görmek için başımı kaldırmak zorunda kaldım, çok uzun bir burun, yarı kapalı gözler, sarı kıvırcık saç yığınında kaybolmuş bir yüz, Auguste Velours şaşkın, sanki kendinde değilmiş gibiydi. "Teşekkür ederim avukat bey," dedi, kendisine hiç benzemeyen incecik bir çocuk sesiyle. Büyük bir doktor edasıyla oturmasını rica ettim. Karşıma geçti oturdu, bizi ayıran masanın altında iki üç kez ayaklarını kıpırdattı, besbelli onları nereye koyacağını bilemiyordu, çaresiz sandalyesinin altına koymaya çalıştı. Neden sonra uzatmaya karar verdi.

Auguste Velours'un bana ana çizgileriyle anlattığı öykü aynen bir sonraki pazartesi sorgu yargıcına anlattığı gibiydi. Bana, kendisine acı veren şeyi de söyledi fazladan. Ben not alırken onu kendi halinde konuşmaya bıraktım, başımla onayladım, iki saatten fazla konuştu, oysa yargıcın yanındayken oldukça zorlandı. Yargıç ifadesini özetleyebilmek ve zabıt kâtibine yazdırmak için sık sık sanığın sözünü kesiyordu. Yargıç iyi anlıyor, ama yanlış yazdırıyordu. Bir yandan da durmadan soru soruyordu. Yargıçlık görevi bunu gerektiriyordu. En ufak bir tutarsızlığı dikkatle inceliyor, tüm ayrıntılarla ilgileniyordu, oysa ben Auguste Velours'un öyküsünü uzun uzun anlatmasına ses etmiyor, söylediği ne olursa olsun not tutuyor ya da tutmuş görünüyordum, konuşması bana yetiyordu. Ancak, cuma günü, sonra pazartesi günü Auguste Velours, avukatına da yargıca da hemen hemen aynı şeyleri anlattı. Otuz sayfa tutan notlarım, on beş sayfalık sorgu dönüp dolaşıp aynı şeyleri söylüyor, söyledikleri hep birbirini doğruluyordu, kısacası bize anlattıkları işte şunlardı:

Auguste Velours su tesisatçısıydı, Châteaudun Sokağında altmış yıldan beri babadan oğula hepsi su tesisatçısıydı, doğumunun hemen ardından ölen annesini hiç tanımamıştı, ama tesisatçı babası tüm işini ve tüm zamanını tek çocuğuna, biricik oğluna adamıştı. Ona tesisatçılık mesleğini, mesleğin verdiği coşkuyu, müşterilere saygıyı, her şeyi öğretmişti. Auguste Velours yaşamın güç ve sıkıcı olduğunu çok erken yaşta fark etmişti, en iyisi gerektiği gibi davranmaktı, o da bunu yapmıştı. Bu giriş konuşması benim de yargıcın da hoşuna gitmişti. Toplanan bilgiler, bu noktada sanığın savunmasını doğruluyor ve dosyası Auguste Velours'un lehine bir önyargı oluşturuyordu.

Auguste Velours yirmi iki yaşına kadar hiçbir kadın tanımamıştı. Buna ne zamanı ne de isteği vardı. Kadın olarak yalnızca annesinin fotoğraflarını bilirdi. Babası kendini onlardan sakınması gerektiğini öğütlüyordu, evlerine tek bir kadın ayak basmamıştı, ne bir kuzin, ne de bir temizlikçi kadın. Baba, kendisi evi süpürüyor, çamaşır, bulaşık yıkıyordu. Auguste Velours on yedi yaşına bastığında, babası ev işlerini ona devretti, asıl olan hiçbir zaman kadınlara gereksinim duymamaktı. Bu konuda baba kesin kararlıydı, küçük fıkralarla sözlerini destekliyordu, ama felâket ergeç bacaklarının arasına sokulacaktı. Cuma günü hiçbir yorumda bulunmadım. Pazartesi yargıç da yorum yapmadı. Auguste Velours'u ikimiz de anlıyorduk ve buraya kadar onu hoş görebiliyorduk.

Baba, bir arkadaşının evinde akşam yemeğinde birkaç dakika içinde ölüp gitmişti. Bir ay sonra Auguste Velours yirmi ikinci doğum gününü tekbaşına, bir pasta, iki mum ve önündeki babasının resmiyle kutlamıştı: Sonra, üzüntüsünü, bu berbat doğum gününü, korkularını, her şeyi unutmak için dışarı yürümeye çıkmıştı, çünkü başına taş gibi düşen bu yaşamdan, dükkândan ve onun getireceği zorluklardan ürkmüştü. Artık babası yoktu, bir iki arkadaşı vardı, ama Auguste Velours'un onlarla konuşacak sözü yoktu, birkaç dakika, bir şarap içecek kadar birlikte oluyordu onlarla, babası gibi o da her yemekte yarım şişe kırmızı şaraptan başka içki koymazdı ağzına.

Geceleyin sokakta Emma'yla karşılaştı. Auguste Velours'un yargıca söylemeye cesaret edemediği, onun hiç kuşkusuz sokak kadını olduğuydu. Gariptir, yargıç da bunu ona sormadı. Emma gözüne iriyarı göründü, kısacık etekleri, upuzun saçları vardı, şaşkın şaşkın bakmıştı ona, bunu yargıca da itiraf etti, bakarken şaşırıp kalmıştı, çünkü hiçbir zaman bir kadına bakmamıştı. Kadına bakakaldığı için mi, yoksa kadın birini aradığı için mi, ya da kadın üstüne atılıverdiğinden mi nedendir, bacakları ve solukları birbirine karışmış, sokak ortasında alt alta üst üste yuvarlanmaya başlamışlardı.

Anlattıkları bana yetmişti, ama yargıç bu sahneden ötürü şaşırmış göründü ve Auguste Velours'dan daha iyi anlatmasını istedi. Sanık daha iyisini anlatamadı, sessiz kalmayı yeğledi. Yargıç bana dönüp tüm bunlardan hiçbir şey anlamadığını söyledi; hemen o an, ikisi de kendilerini yerde bulmuşlar, bacakları kenetlenmiş, kadın 'aşkım, aşkım' diye haykırıyormuş; sonra nedenini anlamadan kendisi de bu sözleri yineleyip durmuştu. Yargıç ona birilerinin o sırada onları görüp görmediğini ve bu gülünç durumdan sıkılıp sıkılmadığını sordu. Auguste Velours, Emma'yla on dakika kadar kaldırımda yuvarlanıp durduklarını, doğrusu kadının elinden kurtulmak için hiçbir şey yapmadığını, ama kadın üstüne abandığı için kımıldayamadığını ve hiç kuşkusuz kaçıp kurtulmasına engel olduğunu anlattı. Cuma günü, o andan sonra kadına âşık olduğunu, hem de çılgınca âşık olduğunu söylemişti bana. Pazartesi günü de yargıca açıkladı, yargıç da bu kucaklaşmalardan genç adamın ilk cinsel heyecanlarını duyduğunu 'adalet'in diliyle anlattı. Yargıç bu durumun, belki de sonradan olacakları anlamaya yarayabileceğini anlattı.

Yargıç, Emma'nın, Auguste Velours'un odasında bulunmuş birkaç fotoğrafını gösterdi, elden ele geçirdik. Auguste Velours kaldırımda, kot giyinmiş, bacakları ayrık, gövdesi geriye kaykılmış, saçları kalçalarına kadar inmiş, kuşkusuz sanığa ilk göründüğü günkü gibiydi. Emma çıplak, yatağa uzanmış, yargıcın erotik diye nitelendirdiği birçok poz vermiş. Emma'nın arkadan görünüşü; duvara dayanmış; yine çıplak, iri kalçalı. "Bakın," dedi yargıç, resimleri zabıt kâtibine uzatırken, "ne kadar görkemli kalçaları var." Sonra düzeltti, "varmış." Fotoğrafları iki üç kez elden ele geçirdiler, bana vermediler, ben dosyayı incelerken onları görmüş kabul edilmiştim ve zaten benimle ilgili değildi, işin derinliğine araştırılması yargıcın sorunuydu. Yargıç yavaşça fısıldadı: "Bunlar adamı baştan çıkarmaya yeter de artar bile." Bu cümle bana çok önemli ve gerekli göründü, ama tutanağa yazdırmaktan çekindim, vazgeçtim, yargıcın hoşuna gitmemekten, başıma iş açmaktan korktum. Emma'nın çok güzel, boylu poslu, taş gibi olduğu besbelliydi, amazonlar gibi ormanlarda koşmak, ağaçlara tırmanmak için yaratılmıştı, Auguste Velours ile hiçbir ortak yanı yoktu, akıllı uslu bir adam, çılgın bir kadın. Yargıç da zabıt kâtibi de kuşkusuz benim gibi düşünüyorlardı; bu ikisi hiç karşılaşmamalıydılar. Ve Auguste Velours o gece, o kapının önünde Emma'yla karşılaşmamış olsaydı, ne cinayet ne dava ne de soruşturma olacaktı. "Hepsi bir rastlantı," diye bağladı yargıç, açıkçası adli gerilimden fırsat buldukça iki arada bir derede felsefe yapmayı seviyordu. Ben de onun sözlerinin yankısı gibi, "Hepsi bir rastlantı," diye yineledim.

Auguste Velours bana, Emma'nın kendisini oteldeki odasına götürdüğünü ve geceyi birlikte geçirdiklerini anlatmıştı. Ama nedendi bilmem yargıca, Emma'nın bir ara odasına çıkıp alelacele valizini hazırladığını sonra da onu kendi evine götürdüğünü söyledi. Sabahın saat üçünde, en fazla dördünde Auguste Velours ve Emma sanığın dükkânının tam üstündeki küçük odasında yeniden birlikte oldular. "Yani babanızın öldüğü yerde," diye araya girdi yargıç, sertçe. Auguste Velours babasının bir arkadaşının evinde ölmüş olduğunu ileri sürdü, ancak gecenin geri kalan kısmını rahmetli babasının odasında, yani içinde büyük bir yatak bulunan, tek oda olan babasının odasında sevişerek geçirdiklerini itiraf etmek zorunda kaldı. "Neden büyük bir yatağa gereksinim duydunuz?" diye sordu yargıç. Bu soru bana pek tehlikeli göründü, Auguste Velours çok ayrıntılı yanıt verdi. Emma'ya gerçekten büyük bir yatak gerekiyordu, yer geniş olsun istiyordu, alt alta üst üste yuvarlanabilmeleri, düğümlenip çözümlenmeleri, birbirlerini tahrik edebilmeleri, yere düşüp kalkmaları ve durmadan yuvarlanmaları için; yargıç şaşırmış kalmıştı, hiçbir yatak bu kadın için yeterince geniş, hiçbir orman yeterince derin olamazdı. "Sevişmeniz ne kadar sürdü... yani sizin dediğiniz gibi?" diye sordu yargıç. "Gün ağarıncaya kadar," diye yanıtladı Auguste Velours. Gurur duyuyor gibiydi, yineledi, "Gün ağarıncaya kadar... gün ağarıncaya kadar..." Yargıç sertçe sözünü kesti. "Tamam anlaşıldı." Demek ki sabaha kadar sevişmişler ve sonraki gün ve her gün, çünkü Auguste Velours ne o gün ne de o hafta çalışmış. "Ya o?" diye sordu yargıç, "o da çalışmadı tabii, değil mi?" Sanık Emma'nın işi olmadığını ileri sürdü. "Anlıyorum," diye içini çekti yargıç. Sokakta sürünen bu kadınların yaşantısını düşünüyordu kuşkusuz, gözünün önüne bir sürü görüntü geliyordu, ben Emma'yı düşünüyordum, yatağın üstünde ayakta durmuş, bacakları ayrık, çizmeleri sımsıkı sarmış, bacakları ve kalçaları siyah dantelle örtülü, elinde kırbaç, Auguste Velours'a meydan okuyor... Besbelli, kadın ona saldırmıştı. Birkaç saat içinde Emma namuslu bir tesisatçıdan vahşi bir hayvan yaratmıştı. Durum belki de bu kadar ağır değildi. Yargıca dönüp kocaman bir gülücük gönderdim, hiç oralı olmadı.

Hapisanede benimle konuşurken Auguste Velours durmadan ayaklarını sallıyordu, giderek daha çabuk konuşuyor, bacaklarının hareketi de hızlanıyordu. Kimi zaman yere bakıyor, kimi zaman da bakışlarını konuşma odasının penceresinin kilit altına aldığı küçük gökyüzü karesine dikiyordu. Sesi zar zor duyuluyor, heyecanını ele veriyordu. Yalnızca, Emma'nın adını anınca duraksıyor, "Emma, Emma" diye bir an sanki ona sesleniyormuş gibi bambaşka bir sesle sızlanıyordu, sonra ağır ağır kaldığı yerden anlatmayı sürdürüyordu. Auguste Velours yargıcın karşısında, ayakta durmak için izin istemiş, yargıç da bu dileğini geri çevirmemişti. Sanık hep aynı tonda, yargıcın bürosunda tükenecek gibi görünen o incecik sesle konuşuyor, açık açık Emma'nın adını anmaktan kaçınıyordu. Yargıcın kullandığı sözleri kullanıyor 'dostum', 'eşim' ya da 'maktul' diyordu. Yine de bir iki kez 'Emma' sözü ağzından kaçtı, sonra susup kaldı. Yargıç kâğıtları karıştırdı, zabıt kâtibi sessizliği bozmak için öksürdü, üçümüz de katilin kurbanıyla böyle çekip gitmesinden rahatsız olmuştuk.

Yargıç cinayetle cesedin bulunması arasında geçen süreyi kesinlikle saptamak için bir saatten fazla uğraştı. 20 Mayıs gecesi polisler cinayeti ortaya çıkarmışlar. Sabahın ikisine doğru Auguste Velours'un kapısını çalmışlar, yanıt alamayınca birkaç kez daha çalmışlar, kapıyı kırmadan önce uzun süre içeriyi dinlemişler, katili yatakta bulmuşlar, uyuyormuş, ya da uyur gibi yapıyormuş, kurbanının cesedine sarılmış yatıyormuş. Polisler cep feneriyle yatağı aydınlattıklarında yorganın üstünde iki kafa görmüşler, gözlerini kapalı tutan katilin dingin kafası ve yüzü bozulmaktan ötürü çürümeye başlamış kurbanın yüzü. Auguste Velours'un ölünün yanağına dayadığı ağzı sımsıkı kapalıymış. İçeride dayanılmaz bir koku varmış. Polisler yorganı kaldırıp katilin çırılçıplak gövdesini ve kopup dökülmekte olan et parçalarıyla kaplı kurbanın iskeletini görmüşler, Auguste Velours'un kolları Emma'yı sarmaktaymış, birisi belinden öteki omuzlarından kavramış, ağır ağır uyanmış, şaşırmış görünmüyormuş, polislere, "Onu uyandıracaksınız," demekle yetinmiş, korumak ister gibi Emma'yı sımsıkı sarmaktaymış.

Komşuları koku uyarmış. Hiç kuşku yok ki Auguste Velours'un tutumu birkaç günden beri onları şaşırtıyormuş. Artık dükkânın kepenklerini açmıyor, evine kapanmış bir başına yaşıyormuş. Ya alışverişe giderken ya da dönerken onunla merdivende karşılaşıyorlarmış, kocaman torbalar taşıyormuş, her zamankinden daha güler yüzlüymüş, kendisine selâm verilmeden önce davranıp, "Her şey yolunda," diyor, herkese iyi günler dileyip evine dönmekte acele ediyormuş, ama onun zaten her zaman acelesi varmış, hayır, aslında durumu garip değilmiş, hatta kaygılı bile görünmüyormuş. Herkes odasında bir kadın olduğunu biliyormuş. Sevişticklerini dışarıdan duymuşlar. İki üç kez duvara bile vurmuşlar, ama bu onun ilk kadınıydı, gürültü etmeleri bağışlanabilirdi, bir an gelmiş çevreye sessizlik çökmüştü, elbette tesisatçının dükkânını kapatmasını kötüye yoruyorlardı, bunun nedeni aşktı, yorgunluktu, belki de güçten düşmüş olmasındandı, hayır, aslında onları uyaran yalnızca bu kötü koku olmuştu. Önce bunun bir lağım sorunu olduğunu düşünmüşler, bundan Auguste Velours'a söz etmişlerdi, bir su tesisatçısı lağım işleriyle de uğraşabilirdi, hatta bu işe bakacağına söz bile vermişti, koku daha da berbatlaşmış, kapıların ardına kadar sinen dayanılmaz bambaşka bir koku; sonunda itfaiyecilere, onlar da polise haber vermişlerdi. Bu ne kadar sürdü? Belki bir ay, belki iki?

Yargıcın hesapları çok acımasızdı. Auguste Velours kurbanıyla, hayattayken dört gün, öldükten sonra kırk üç gün birlikte yaşamış. Ama sanık başka rakamlar veriyordu. O ve Emma on beş günden fazla sevişmişler, birbirlerinden ayrılmaları olanaksız sanki kenetlenmiş gibi yaşamışlar, ancak alışveriş edecek, yemek yapacak kadar ayrı kalmışlar, yemek yerken bile sarmaş dolaş olabilmek için yerde yemek yiyorlarmış, "Mümkün değil bu," diye itiraz edecek oldu yargıç, ama sanık bir öğün bile başka türlü yemek yemediklerini söyledi, zabıt kâtibi şaşkına döndü; Auguste Velours ve Emma gece boyu birbirlerinden ayrılmıyorlarmış. Ve sonra o dram yaşanmıştı. "Cinayetin soruşturmasını ayrıca yapacağız," diye buyurdu yargıç. Şu an için onu ilgilendiren cinayeti izleyen süreydi. Auguste Velours Emma'yla on beş gün daha yaşamış olduğunu kabul ediyordu, artık soluk almadığı ve kolları bacakları sağa sola düştüğü için ölüye benziyordu; onu yatağa taşımak, masaya oturtmak, oturduğu yere yığılıp kalmaması için eşarplarla sandalyenin arkalığına bağlamak zorundaydı, ama o yalnızca görünüşte ölüye benziyordu, sabit bakışlarla bakıyor, geceleyin seviştikleri zaman elinden geldiğince genç adama sarılıyordu. Bu, böyle aylarca, yıllarca sürüp gidebilirdi, ama polisler çıkagelmiş, onu uyandırmaya yeltenmişlerdi; sonra onu alıp götürmüşler, saklamışlardı, elbette gidip bulacaktı onu, çünkü ikisi birbirlerinden ayrılamazlardı. "Kurbanımın cesediyle tastamam on beş gün birlikte yaşadığımı beyan ederim." Yargıç bu cümleyi özenle yazdırdı, bu arada sanığa homurdanmaktan da geri kalmadı: "Gerçeği söylemiyorsunuz. Bu, on beş gün değil, aslında kırk üç gün olmalıydı." "Zaten... ne önemi var..." diye kabullendi.

Yargıç, Auguste Velours'un bana anlattığından çok daha fazlasını istedi, binlerce ayrıntının üstünde durdu. Cinayetten sonra, birlikte yaşamaya, birlikte yemek yiyip birlikte uyumaya devam ettiklerini ve Auguste Velours'un onu her geçen gün daha çok sevmekten bıkıp usanmadığını bilmek bana yetmişti. Ama görevi gereği yargıç kendini daha titiz göstermek zorundaydı. Bu iki kişilik yaşamın her ânından bir anlam çıkarmak zorundaydı. Gün ağarırken sanık bir ara kurbanından ayrılıyordu.

Onu yatakta bırakıyor, günlük alışverişe gidiyordu. Geri dönünce uyuyor gibi görünen Emma'yla konuşarak ev işlerini yapıyordu. Sonra ısıtmak için bir ara onun yanına uzanıyordu, yargıca böyle söyledi. Ayağa kalkıp onu kollarının arasına alıyor, mobilyalara, eşyalara çarpmamasına özen gösteriyordu, çünkü en ufak bir çarpmayla Emma'nın parçaları dökülüveriyordu. Masaya, tam karşısına oturtuyordu onu. Düğümler atıp sandalyenin arkalığına bağlıyordu, zaman zaman başının geriye düşmesine, kollarının yere sarkmasına ses etmiyordu, ama Emma'nın masanın üzerine kapanmasını yeğliyordu. O, masayı topladığı sırada Emma şölen sonunda yorgun düşmüş, kestiriyormuş gibi görünüyordu. Yavaşça başını kaldırıp incitmemeye çalışarak ona yiyecek birşeyler veriyordu, özellikle pastayı çok seviyordu, kaşığı Emma'nın dişlerinin arasına koyuyordu, aslında bütün bunları yemiyor, zar zor tadına bakıyordu, zaman zaman başı düşüveriyordu, bu, pastanın hoşuna gitmediğini gösteriyordu, oysa hoşlandığında mutluluğunu belli ediyordu. Öğleden sonra, genç kadının bildiği tek oyun olan poker oynuyorlardı. İkisi birden yüzükoyun yere yatıyorlardı. Auguste Velours kafasını kâğıtların üstüne gelecek biçimde tutuyordu. Kadın seçiyor, o da kadının seçtiği kâğıdı tahmin ediyordu, genç kadın o kâğıdı oynuyor ve her zaman o kazanıyordu.

Ondan sonra kadını yatağına taşıyor, saatler boyu ona kitap okuyordu. Macera romanlarını seçiyordu, arada sırada sevgilisine bakmak için ara veriyordu, giderek yüzünün değiştiği, lekelerle kaplandığı, suratını buruşturduğu, zaman zaman kediye benzediği doğruydu. Arada sırada ışığı söndürüp baş başa müzik dinliyorlardı. Onun için bir sürü kaset almıştı, genç kadın da kendisi gibi caz müziği dinlemeye bayılıyordu. Adam onun soluk aldığını duymak, kadınsa dans etmek istiyordu.

Akşam yemeğini hep yatakta yiyorlardı. Ona sevdiği kolay yemekleri hazırlıyordu. Kadın yemekleri kokluyor, zar zor tadına bakıyor, bir an önce sevişmek için acele ediyordu. Bütün geceyi birbirlerine kenetlenmiş olarak geçiriyorlardı. Eşinin donmuş gövdesini ısıtmaya çalışıyor, onu durmaksızın okşuyor, sevgili Emma'sıyla sevişiyordu. "İmkânsız bu, dediğiniz gibi bir cesetle sevişilmez ki," diye atıldı yargıç, ama sanık hiç oralı olmadı. Onun üstüne uzanıyor, kendine gelmesi için kimi zaman saatlerce beklediği oluyordu, ya da yavaşçacık kadının ağzını aralıyordu, sevdiği kadının yüzünü gözünü öpüyor, öpüyordu. Birlikte oldukları geceleri yargıca anlattığında Auguste Velours canlanıyor, sesi incecik çıkıyor, titremelerle bir inip bir yükseliyordu. "Sayın yargıç bütün bir gece, dahası geceler boyu seviştik." "Size inanıyorum," diye sözünü kesti yargıç. "Sayın yargıç, çok mutluydu o, mutluluktan çıldırıyordu, şimdi... şimdi..." İlk kez onun ağladığını gördüm, gözlerinden yaşlar boşalıyordu, gömleğine, pantolonuna ve hatta ta yargıcın masasının önüne dek yerlere süzülüyordu. Yargıcın canının sıkıldığı belliydi, genelde onun odasında ağlanmazdı, bana dönüp baktı, normal bir avukat duruma el koyardı, deneyimli biri ise müvekkilinin ağlamasına göz yummazdı, ben ne yapacağımı bilemedim, yargıç bana kızıyordu hiç kuşkusuz. "Şimdi ağlamanın sırası değil," dedi, Auguste Velours'a dönerek, "hiçbir şey bu duruma düşmeye değmez." Sanık koluyla gözlerini sildi, ağlamanın sırası değildi. "Kaldığınız yerden devam edin," dedi yargıç, ancak bu duygu yüklü anın izleri kalmıştı bir kez. Yargıç bir an önce bitirmek için acele ediyordu.

Cinayeti, soruşturmasının son bölümüne bırakmıştı. Elbette ki asıl konu buydu, ama bunun dışında kalan her şeyden söz ederek Auguste Velours'un yakayı sıyırmak şansı vardı, söylediklerini yalanlaması, belki de cinayeti itiraf etme şansı hâlâ elindeydi. Cuma günü bana bu sahneyi anlatmıştı, ona pek çok soru sormuştum, cinayet konusunda en ufak ayrıntıyı bile bilmek zorundaydım. Günden güne daha zorlu, daha şiddetli sevişmişlerdi. Auguste Velours her şeyi Emma'dan öğreniyordu, düşlemelerinde bile onu izliyor, kumsalda olsun, kuru yaprakların üzerinde olsun vahşice karşı karşıya gelmelerini düşlüyordu, Emma birbirlerini dövmelerini, ısırmalarını istiyordu, birbirlerini hırpalayarak odanın bir başından bir başına yuvarlanıyorlardı, sırayla birbirlerini kırbaçlamaları için bir havluyu kırbaç biçiminde kıvırmıştı, zaman zaman ellerine bıçak alıp silâhlandıkları da oluyordu, çığlık atıp birbirlerine girerek karşıdakini yaralayıp berelemeye çalışıyorlardı, işte aşk dediğin budur diyordu kadın, başkalarının birbirlerini korodaki çocuklar gibi sevdiklerini, herhangi bir tehlikeye atılmadan, her şeyi önceden hesaplayıp hayvanca birleşmeler yaptıklarını söylüyordu, içgüdüsel olarak biliyordu ki gerçek aşk, öldüresiye sevmek böyle olmalıydı ve o akşam, saat tam 22.30'da kadın ona meydan okumuştu, hiç kimsenin sevişmediği gibi, çılgınlar gibi, vahşiler gibi sevişeceklerdi. Yatakta, ayakta başlamışlardı, birbirlerine saldırmadan önce uzun uzun birbirlerini seyretmelerini istemişti kadın, soluk soluğaydı; kalçaları çıplak, göğüsleri dimdikti, adam artık kendini tutamıyordu, kadın da öyle, ikisi de ter içinde kalmışlardı, hemen birbirlerinin üstüne atılmışlar, yerde yuvarlanmışlardı, kadın adamın boğazına sarılmıştı, adam da sımsıkı kavramıştı onu, hiçbir zaman bacakları birbirine böylesine sımsıkı kenetlenmemişti, o an sıkılmış iki gırtlaktan, azgın kollardan başka bir şey yoktu ortada, kadın vahşice her yanını sıkıyordu, öteki boğazına sarılmışken kadın, "Aşkım," diye bağırıyordu, bağırmasına engel olmalıydı, kadın artık hırıltılar çıkarıyordu, aşklarının hırıltıları, terden karınları, her tarafları yapış yapış olmuş, kadın artık onu eskisi kadar sıkmaz olmuştu, o da kadını kendini yine sıkmaya zorlamak için, ellerine ve karnına güç katmak için daha güçlü sıkmaktaydı, öldüresiye sıktı, iki üç kez korkunç bir titremeyle sarsıldı kadın, adam bacaklarıyla onun kımıldamasına bile fırsat vermedi, hiçbir zaman böylesine aşırıya kaçmamışlardı, hiçbir zaman onu böylesine tutkulu sevmemişti ve Emma birdenbire gevşemiş, sanki bir ahtapot gibi yumuşacık olmuştu, kolları sarkmış, bacakları ip gibi gerilmiş, gözleri yuvalarından fırlamıştı, dişlerini Emma'nın dişlerine sürtmüş, ama genç kadın artık ısıramaz olmuştu, kendini de savunamıyordu, tokat attı, kafası düştü, bir kez daha düştü, ölü gibi olduğunu, altında ölmüş olduğunu anladı; çıplak, sırılsıklam, tapılası. Genç kadını kollarının arasına aldı, bir şey fark etmesin diye yatağa taşıdı, yatırdı, öpücüklere boğdu, Emma, aşkım, Emma, benim Emma'm, bir daha karşılık veremeyeceğini biliyordu, biraz daha aşağı uzandı, başı kalçalarının arasında böylece bütün gece ona sarılıp kalabilirdi, Emma uyuyordu, o uyumayacaktı, bütün yaşamı boyunca onunla sevişecekti, hiçbir zaman bitmeyecek olan geceleri, son geceleri başlıyordu.

Bütün olup biteni yargıca anlatmaya çalışıyordu, ama yargıç sık sık sözünü kesiyor, sorularıyla onu bıktırıyordu, yargıcın kendince bir düşüncesi vardı. "Aslında o sizi reddetti. Siz de onu zorlamak istediniz. Kendini savundu. Siz de onu boğdunuz." Çekinerek araya girdim, avukatların soruşturmaya katılıp katılmamaları hakkında pek bilgim yoktu, sanığın anlattıklarıyla yargıcın bakış açısının pek farklı olmadığını belirttim, çılgınca bir aşkın körüklediği büyük bir şiddet olayı yaşanmıştı. Yargıç, benim kişisel duygularımın soruşturmayı etkilemediğini ve sanığa kendini ipe sapa gelmez bir biçimde savunma olanağı sağlayan bu sevişme kazasıyla bir tecavüz, hem de gerçek bir tecavüz, sıradan bir tecavüz arasında hiçbir benzerlik bulunmadığını kibarca anımsattı, çünkü saldırganların sokak ortasında ya da asansörde tanımadıkları kurbanlarını rastgele seçtiklerini düşünmek gerekmezdi, hayır saldırgan saldırgandı; eşlerine, annelerine, kızkardeşlerine, metreslerine tecavüz ederlerdi, yargıç tecavüz olaylarını iyi bilirdi, bu mesleğe gireli yirmi yıl olmuştu ve on kadar tecavüz olayının soruşturmasını yapmıştı, saldırganlar âşık olabilirler, içten olabilirler, kibar da olabilirler, ama bir kadın onlara karşı koymaya kalktı mı yalnızca bir söz, bir bakış, onlarda, cinayete yol açan öfkenin kabarmasına yeterdi, o zaman saldırgan vurur, zorlar, sahip olurdu –yargıç korkmadığını belli etmek için bu son sözcüğü üç kez yineledi– ve saldırgan sonunda öldürürdü. Her zaman değil, arada bir öldürürdü, öldürdüğü zaman çoğunlukla boğazını sıkarak öldürürdü, "Saldırganlar boğarak öldürür," diye vurguladı yargıç. O sırada sanığı sorularıyla sıkıştırıyordu: "Gerçeği söyleyin bana... Sizi reddetti değil mi?.. Anlattıklarınızın inanılmaz olduğunu siz de biliyorsunuz... Farkında olmadan mı boğdunuz, yoksa ona daha fazla zevk vermek için mi boğdunuz?" Auguste Velours'un öyküsünü yeniden anlatmasını, cuma günü görüşme odasında kullandığı ifadeyi yinelemesini isterdim, "Acımasızca sıkıyordu beni, ben de öyle. Beni ne kadar çok sıkarsa onu o kadar çok seviyordum," artık bir şey söyleyecek gücü kalmamıştı, yargıç o anda zabıt kâtibine bu inanılmaz olayı yazdırıyordu, zabıt kâtibi için, benim için yorum yapmaktan da geri kalmıyordu: "Zevk vermek için eşini boğmuş, onun aşktan anladığı bu işte..." Son kez sanığa dönüp dikkatle şunları söyledi: "Mösyö Velours, hiçbir jüri üyesi söylediklerinize inanmayacaktır. Jüri üyeleri de sizin gibi, herkes gibi âşık olabilirler... ama hiç kimseyi boğmazlar." Tartışmayı sürdürmek istedi: "Mösyö Velours bana anlattıklarınız, sizin gerçeğiniz... ama gerçeğin de gerçeğe uygun olması gerekir..." yargıcın bu sözlerini onayladığımı göstermek için başımı salladım. Auguste Velours tutanağı imzaladı. Ne bir hareket ne de bir gözyaşı, iki jandarmanın arasında dışarı çıktı, yargıç bir süre kalmam için bana işaret etti, görünüşe bakılırsa bana bir sır vermek istiyordu, yargıcın sırrı avukatın hoşuna gider hep.

"Yalan söylüyor," dedi yargıç, "üstüne üstlük kötü yalan söylüyor." Yargıç üzgün olduğumu gördü, sanığın yalan söylemesi benim suçum değildi, hemen düzeltti: "Avukat bey, saldırganların gerçekle hiç ilgileri yoktur." Saygılı suskunluğumdan cesaret alarak sözlerini sürdürdü: "Olayın seyri hep aynı, bir delikanlı hiç cinsel ilişkide bulunmadan erginliğe ulaşıyor... Onu baştan çıkaran ilk kadın bir mütecavize dönüştürüyor onu..." Başımla onayladım, yargıç yetkeyle konuşuyordu, "Kadın karşı koyarsa öldürüveriyor." Tutanağı yeniden okuyor gibiydi. "İşte böyle, sizin müvekkiliniz de ötekiler gibi. Kadınlara istek duyuyorlar, saldırıyorlar, karşı koymalarını düşlüyorlar, böylelikle onları öldürebiliyorlar..." Yargıca hoş görünmek için gülümsedim, suçortağı oluyormuşuz gibi geldi bana. "İnanın avukat bey, bu iş söylediğimden daha karmaşık değil," dedi bana kibarca.

Cesaretlendim. Bir cesede duyulan bu büyük aşkın, ölmüş bir kadının bedenine duyulan bu tutkunun, bunların hepsinin, sanığı sıradan bir saldırgandan farklı kıldığını söyledim yargıca, hatta cinayetten sonra, hemen her gün Auguste Velours'un kadına yiyecekler, çiçekler, özellikle onun sevdiği beyaz güller taşıdığının ve sevdiğinden başka hiçbir şey düşünmediğini, ergeç yine bir araya geleceklerini, sonsuza dek sevişeceklerini söylemek için her gün, hatta günde iki kez yazmayı sürdürdüğünün soruşturmada yer almadığını ona söyleyecek kadar cesareti kendimde buldum. Yargıç, bu tür mektuplar yazması durumunda, sanık bunları el altından göndermedikçe mektupların zorunlu olarak yargıca yani kendisine iletilmesi gerektiği konusunda beni uyardı. Yargıcın kuşkulu gözlerle beni süzdüğünü anladım, belki de müvekkilim gerçekten yazmıyordu, bunu kabullendim, zaten işin aslını bilmeme olanak yoktu, ama Emma'sını sevmekten bıkmadığından emindim, "Tuhaf bir aşk," diye belirtti. Bürosunun kapısına kadar beni geçirmek için yerinden kalktı. "Ağır cezada yirmi yıl verirler," dedi sözlerini bitirmek amacıyla. Üzülmüş olduğumu fark etti mi acaba? "...en azından aklî dengesinin bozuk olduğunu kanıtlamadıkça... iki doktor görevlendireceğim... tek şansı bir cesetle birlikte yaşamış olması..." diye sürdürdü. Yargıç bu sözlerden pişman olmuş olmalı ki, düzeltmek gereğini duydu: "şansı... yani becerikliliği demek istedim. Basbayağı bir cinayet bu. Ama bir ölüyle karıkoca hayatı yaşamak, olağandışı olan bu, hem de tuhaf..." Hemen hemen dostça elimi sıktı, bu tek şans bana cesaret veriyordu elbette, peşinden koşmalı hemen!

İki doktorun raporuna dayanarak ceza yasasının 64. maddesi gereğince Auguste Velours'un aklî dengesinin bozuk olduğuna karar verildi. Böylelikle ağır cezadan kurtuluyordu. Benim görevim tamamlanmıştı. Tedavi gördüğü Villejuif Hastanesinde onu görmeye gittim. Bana yalnızca Emma'sından söz etti. Polisler onu serbest bırakmışlar, Emma gelip hastanede onu bulmuş, ama saklanmak zorundaymış. Tanrıya şükür Emma'yı tek gören, ona hayran olan kendisiymiş. Geceler boyu sevişiyorlarmış, olabildiğince mutluymuşlar. Gelecek yıl dükkânı yeniden açtığında bir çocukları olacakmış. Auguste Velours onu bana tanıştıramadığı için üzülüyordu. Emma'yı hastanenin bahçesindeki, yüzmeye bayıldığı havuzun yanında bırakmıştı. Suyun başına oturup saatlerce Emma'nın göğüslerini, kırmızı balıkların arasında kıvrılan karnını seyretmeye dalıyordu, Emma suya düşen ölü yapraklarla kalçalarını hafif hafif ovuşturuyor, ikisi de kendilerini aşka hazırlıyorlardı. Bir araya gelmeleri için katlandığım zahmete ve ziyaretime teşekkür ediyordu. Ayrıldığımızda elime bir zarf tutuşturdu, "Emma'dan ve benden," dedi ve uzaklaştı, daracık kot pantolonunun içinde, uzun adımlarla yürüyor, havuzun yanında onunla buluşmaya gidiyordu. Zarfı açtım. İçinde bir diş vardı. Emma'nın dişi mi? Yoksa Auguste Velours'un mu?

Bir daha oraya dönmedim.

SANDAL

Mösyö Fouille herkes gibi sevdi, çok sevdi, hem de nasıl sevdi. Orta büyüklükte bir şirkette saymanlık yapıyordu, şirketin kendisi kadar saymanlığı da ünlüydü. Uzman bir dostunun önermesi üzerine beni görmeye geldi. İvedi, hem de çok ivedi bir görüşme istemişti, bekletme sanatını henüz bilmediğimden pazar sabahı onunla görüşmeyi kabul ettim.

Mösyö Fouille'ün öyküsünün hiçbir ilginç yanı yoktu. 25 yıllık evliydi, hem de kusursuz bir evlilikti bu, en küçük bir pürüz bile yoktu yaşamlarında, bana anlattığına göre, geçen ay, serviste akıllı, duygulu, tüm erdemlere sahip, güzel, hem de çok güzel, genç bir stajyer bayanla tanışmıştı, daha iyi anlayabilmem için cebinden bir fotoğraf çıkardı, asla bir benzerine rastlanmayacak kadar olağanüstü bir kadındı bu. Âşık olmuştu ona, kadın da öyle. Mösyö Fouille stajyeriyle evlenmek, yaşamda da ölümde de birlikte olmak istiyordu, genç kadının da dileği buydu, ama elinden bir şey gelmiyordu adamın, boşanamıyordu, yirmi beş yıldan beri sevinçleri, özellikle acıları ve her şeyi paylaşmış olduğu, zavallı Jeanne'ına, karısına en ufak bir acı çektirmek istemiyordu, bu acı yüzünden ölebilirdi, öleceği de kesindi, işte bu yüzden bana danışmaya gelmişti, başını alıp gitmeli miydi, hayır olanaksızdı bu, onun yanında kalarak ayrılsa... yani karısının haberi olmadan, onu ağlayıp sızlatmadan nasıl boşanabilirdi, Matmazel Prune'den de vazgeçemiyordu, sevgilisin adı buydu, adı mı soyadı mı sormaya cesaret edemedim, günün birinde ne pahasına olursa olsun birlikte olacaklardı, evet, Mösyö Fouille bir öğüt, bir çıkar yol arıyordu, masanın üzerine birkaç kâğıt para koydu, görmemezlikten geldim, gözleri yerde paraları önüme sürdü, ciddileştim, ondan hiçbir şey kabul edemezdim, çünkü onun için elimden hiçbir şey gelmezdi, ne durumda olursa olsun, parayla duyguları birbirine karıştırmazdım, özürler geveleyerek paraları geri aldı.

Mösyö Fouille tepeden tırnağa griler giymişti. Küçük gri bir sakalı da vardı, durmadan ellerini ovuşturuyordu, sıkılmıştı belki, bakışlarında hiçbir anlam yoktu. Matmazel Prune'ün onda ne bulduğunu merak ediyordum, Montmartre Sokağında küçük bir otel odasında ikisini yatakta gözümün önüne getiriyordum. Mösyö Fouille, Matmazel Prune'le sevişiyordu, gövdeleri terden sırılsıklam, azgın bir fırtınaya tutulmuş gibiydiler, yastıklar yerlere saçılmıştı, düşünüyormuş gibi yaptım, Mösyö Fouille yardımıma yetişti; "Bu, sıradan bir olay gibi görünebilir size," içinde bulunduğu durumda hiçbir şeyin sıradan sayılmadığını, hiçbir olayın bir başkasına benzemediğini söyledim, aşkından çılgına döndüğünü anlıyordum, "Bundan da öte bir şey, avukat bey, bundan da öte... insan bundan daha fazla sevemez..." diye atıldı, artık sabrım taşıyordu, sevgisinin geçerli bir neden oluşturduğunu, ama bunun boşanma sorununun çözümünü zorlaştırdığını belirttim, çünkü boşanmak için bana danışmaya gelmişti, işin aslı buydu.

Mesleğim gereği önceden yanıtını kestirebildiğim birkaç soru sordum ona. Karısı en ufak bir sitemi bile hak edecek bir şey yapmamıştı, hayır, hiç âşığı olmamıştı, hatta kafasını çevirip bir erkeğe bile bakmamıştı, Mösyö Fouille böyle varsayımlar öne sürmeme şaşırdı, ama her şeyi göz önünde bulundurmak görevimdi, hayır, Jeanne'ın gözü ondan başka hiç kimseyi görmemişti, elli yıldan fazla olmuştu, Clermont Ferrand'da aynı yıl, aynı mahallede dünyaya gelmişlerdi, aileleri ta o zamandan beri tanışıyorlardı, sonra birlikte Paris'e gelmiş yerleşmişler, güç bir yaşamı birlikte göğüslemişlerdi, sevgili Jeanne'ı hiç dışarıda çalışmamıştı, çünkü ev işleri zaten tüm zamanını alıyordu; mutfak, bulaşık, temizlik, çamaşır, ütü, her işi tekbaşına yapıyordu, akşam eve dönünce Mösyö Fouille asla masayı kurulmamış, yemeği hazırlanmamış bulmamıştı, hem de en mükemmel yemekleri yapardı karısı, onun hoşuna gitmekten başka hiçbir şey düşünemezdi. Hayır, çocukları olmamıştı, bu nazik konuda soru sormamı önlemek istiyordu, her yolu denemişlerdi, ama boşuna, kusur karısındaydı, bunu doktorlar söylemişti, ama bu yüzden karısına en ufak bir sitemde bulunmamıştı, karısı ağlayıp sızlamıştı, çocukları, en azından bir erkek çocukları olsaydı her şey daha farklı olacaktı, evlerini değiştirirlerdi, evin içi neşeyle dolardı, oysa yıllar geçiyor, yaşamlarını bir hüzün kaplıyordu, hüzün denmezse bile bir tür melankoli denebilirdi bunun adına. Auvergne bölgesinde hep aynı otelde tatillerini geçiriyorlardı, sayısı üçü dördü geçmeyen aynı dostlarla görüşüyorlardı, Jeanne da kendisi de çekingendiler, ayrıca Jeanne çok çabuk yoruluyor, yorgun argın düşüyordu. Akşamleyin her tarafı ağrıyordu; zamandan, birbirine karışan mevsimlerden, yazdan, kıştan, her şeyden yakınıyordu, gitgide tadı bozulan sebzelerden, etten sakınıyordu, ölçüyü kaçırmadan kibarca inliyordu. İki yıl içinde ikisi de anne ve babalarını kaybetmişler, bir mezarlıktan ötekine koşuşturup durmuşlar, bu yüzden çok acı çekmişlerdi, bütün eşyaların üstüne sıra sıra fotoğraflar dizmişler, tam yatma zamanı karısı bir sürü gözyaşı dökmüştü, Jeanne giderek daha çok televizyonun karşısında, kendisi de bürosunda kalıyordu, giderek daha geç vakitlere kadar çalışıyor, kimi zaman pazar günleri bile bürosuna gittiği oluyordu, hayır, yaşantıları tuhaf değildi, Jeanne zaman zaman böyle olduğunu söylüyordu, ama önemli olanın birbirlerini sevmeleri, ölünceye kadar sevmeleri olduğunu da söylüyordu, önemli olan sağlıklı olarak birlikte yaşlanmaktı. Arasıra karısı yatakta elini tutuyor, el ele uyuyorlardı, karısından yana en ufak bir sitemde bulunamayacağına yemin edebilirdi ve işte şimdi yalnızca başını alıp gitmeyi, yolculuğa çıkmayı, sokaklarda koşmayı düşünüyor, Matmazel Prune'e dünyayı tanıtmak istiyordu, merdivenlerde, büroda şarkılar mırıldandığını fark ediyor, telefonun çalmasını sabırsızlıkla bekliyordu, her telefon zili kalbinin küt küt atmasına neden oluyor, sevgilisine kavuşmaktan başka bir şey düşünemez oluyordu. Hiç birlikte uyumamışlardı. Hiç Paris'ten ayrılmamışlardı. Matmazel Prune evlenmek istiyordu, çocukları olsun istiyordu, yaşamayı seviyordu, ama elinden ne gelirdi, benden kendisine öğüt vermem için yalvarıyor, ne çekip gidebiliyor, ne boşanabiliyor, ne Matmazel Prune'den vazgeçebiliyor, ne de Jeanne'ına acı çektirmek istiyordu. Kimi zaman işten döndüğünde geriye ölmekten başka bir şey kalmadığını söylüyordu kendi kendine.

Mösyö Fouille'ün öyküsünü sık sık dinledim. Bundan böyle yalnızca bir sorunum vardı, çabucak başımdan savmak. Ona en kısa yoldan karısından yana hiçbir şikâyeti olmadığından boşanmasının imkânsız olduğunu söyledim. İlgilendiğimi kanıtlamak için de, karısının herhangi bir kavga çıkarıp çıkarmadığını, herkesin ortasında kendisine hakaret edip etmediğini sordum, ancak, yanıtını önceden kestirebiliyordum. Jeanne'ı hiçbir sözcüğü bir diğerinden yüksek sesle söylememiş, kocasına sitem etmek aklından bile geçmemişti. Kötü bir rastlantı sonucu, Matmazel Prune'ün varlığını öğrenirse, ağlayıp sızlar, durmadan gözyaşı dökmek için odasına kapanır, ama kavga çıkarmazdı, yirmi beş yılda en küçük bir kavga etmemişlerdi, zaten durumu öğrenmesi de düşünülemezdi, kederinden ölebilirdi, belki de canına kıyardı. Mösyö Fouille'ün asla çözümleyemeyeceği bu belli başlı nedenden ötürü boşanmanın düşünülmeyeceğini belirttim. Çözüm olarak geriye ne kalıyordu? İçtenlikle söylemek gerekirse, hiçbir çıkar yol göremiyordum. Bir yol vardı, ama bundan Mösyö Fouille'a söz edemezdim. Metresi, kafası çok karışık bu yaşlı adamdan, bu sulugöz kocadan çabuk bıkardı, Matmazel Prune çekip giderdi günün birinde, Mösyö Fouille başka bir stajyerle karşılaşmazsa tabii... Bu düşünce çok hoşuma gitti. Karşımda giderek daha külrengine dönüşen Mösyö Fouille'a baktım. Çok sıkıldığı belli oluyordu. Dayanılmaz bir sevgili, sayman kılığına girmiş azılı bir çapkın olabileceğini düşündüm onun. Konuşmaya son vermek için ayağa kalktım, o da yerinden kalktı, kapıya kadar geçirdiğim süre içinde hep fısıldayıp durdu, son derece mutsuz olduğunu, kendisini bu durumdan kurtarmamı rica ettiğini, işin içinden çıkılmasının zorluğunu bildiğini, ama benim varlığımın kendisini rahatlatmaya yettiğini söyledi bana. İstediği zaman bana gelebileceğini söyledim, özetle şöyle bağlamak istedim: "Korkarım sizin için elimden hiçbir şey gelmez, ama dilediğiniz zaman bana uğramaktan çekinmeyin." Bir ruh hekimi, bir papaz oluyordum, bu terfi hoşuma gitmedi değil, Mösyö Fouille sevgiyle elimi sıktı, en az yirmi kez bana minnettarlığını bildirdi, yeteneğime, yarar gözetmememe hayran olmuştu, evet, ben candan biriydim. Giriş kapısını yavaşça kapattım, hiç kuşkusuz kapıda bir süre kımıldamadan kalmıştı, çünkü ne merdivenden indiğini ne de asansörü çağırdığını duydum. Mösyö Fouille'la görüşmeyi kabul etmekle hem de bir pazar günümü ona ayırmakla haksızlık etmiştim. Kendimi aptal yerine koymuştum.

Mösyö Fouille beni görmeye yine geldi, önce ayda bir kez, sonra ziyaretleri sıklaşmaya başladı. Bir yıl sonunda, her perşembe geliyordu ve bu bir alışkanlık haline geldi. Mösyö Fouille giderek daha çekilmez olan durumuyla ilgili bilgi veriyordu bana. Matmazel Prunc ve o birbirlerini çılgınca seviyorlardı, her zaman bundan daha çok sevilemeyeceğine inanıyor, her zaman birbirlerini daha fazla seviyorlardı. Mösyö Fouille yalnızca sevdiği kadını, genç kadın da yalnızca onu düşünüyordu. Pazartesinden cumaya kadar işyerlerinden uzak, pek fazla kimsenin uğramadığı küçük lokantalarda yemek yiyorlardı. Her gün, saat 18.15'te önceden kararlaştırdıkları bir yerde buluşuyor, Matmazel Prune'ün oturduğu binaya kadar el ele tutuşup yürüyorlardı, kimsenin onları görmemesi için bir sürü önlem alıp önce kadın, sonra o, ayrı ayrı yukarı çıkıyorlar, küçücük dairede akşam saat sekize kadar kapanıp kalıyorlardı. Yalnızca birbirlerini seyredip sevişiyorlardı, konuşacak vakitleri bile yoktu. Mösyö Fouille cumartesi öğleden sonraları, arasıra da pazar günleri Matmazel Prune'e gidiyordu. Giderek daha da baskıcı bir kişiliği olan servis şefinin bitip tükenmez isteklerini, iş gerekçelerini bahane ediyordu. Birlikteyken nerędeyse ölecek kadar mutlu oluyorlar, saatleri, dakikaları bir bir saymak zorunda kalıyorlardı, hayır Jeanne'ı hiçbir şeyin farkında değildi. Yalnızca Mösyö Fouille karısına karşı daha özenli, daha nazik davranmak zorunda kalıyordu, ona daha çok ilgi gösteriyor, daha çok sevgi gösterisinde bulunuyordu, çünkü mutlu olmak onun da hakkıydı ve mutlu görünüyordu da. Cenevre Gölü kıyılarında bir gezi yapmayı, birlikte yolculuk etmeyi önermişti ona, karısı kabul etmiş, defalarca kucaklamıştı kendisini, hayran kalmış, minnettar olmuştu. Tek sıkıntısı, her tarafının ağrıyor olmasıydı, günden güne daha kötüye gidiyor, yaşlandığını hissediyordu, sizi seven bir kocayla birlikte yaşlanmak pek sorun sayılmazdı elbette, ama yine de! Matmazel Prune de gezip tozmayı, uzaklara gitmeyi severdi, Baléares Adalarına ve Çin'e gitmeyi düşlüyordu, bunun olanaksız olduğunu da biliyordu, hiçbir zaman birbirlerinden hiç ayrılmadan altı saatten fazla bir arada olmamışlar, bir geceyi paylaşmamışlardı. Olsun, onlar altı saatte, başkalarının on yılda seviştiği kadar sevişiyorlardı.

Mösyö Fouille beni görmeye geliyorsa bu, kendi mutluluğunu ya da mutsuzluğunu birisiyle konuşmak gereksinimi duymasındandı, bundan yalnızca bana söz edebilirmiş, çünkü bu bir bakıma meslek sırrı sayıldığından kendini güvenlikte hissediyormuş, böyle söylüyordu bana. Hiç dostu yoktu, meslektaşlarından hiçbirine güvenmiyordu. Özellikle bana başvurduğunda, içinde bulunduğu durumdan kurtulmak için birşeyler yapmak hevesine kapılıyor, böylelikle kendini daha iyi hissediyordu. Ben de onun düşlerine kendimi kaptırıyor, ona yakınlık duyuyordum. Onunla olası tüm çözümleri tek tek gözden geçiriyordum, tek bir çözüm yoktu, ama araştırmış olmak bile iyiydi. Boşanmayı enine boyuna düşünüyorduk. Mösyö Fouille, Jeanne'ın haberi olmadan boşanıp boşanmayacağını pek çok kez sordu bana, epeyce kurnazlık düşündüm, ama hiçbirisi yeterli görünmedi bana ve her durumda, Jeanne'ı boşanmış olduğunu öğrenecek ve bu da felâketlerin en büyüğü olacaktı. Matmazel Prune ile dünyanın öbür ucuna gitmek? Mösyö Fouille bunu asla yapamazdı, Jeanne'ını terk etmiş olduğu için ölebilirdi. Geriye ne kalıyordu? Mantıklı olarak düşünülürse, bu tutkunun sonucunu kestirmem olanaksızdı. Her buluşmada, Mösyö Fouille tutkusunu daha çılgınca dile getirdi. Gün boyu mektup yazıp akşamleyin birbirlerine veriyorlardı. Birbirlerini ufacık hediyelere boğuyorlardı. Geriye yalnızca ölüm kalıyordu... Matmazel Prune'ün beklemeye, zamanın o kahrolası görevini yerine getirmesini beklemeye hazır olup olmadığını Mösyö Fouille'a sormaya yeltendim, çok üzülüyordum, ama tek çare olarak zamanı görüyordum; zavallı Jeanne'ı giderek midesinden, başından daha çok şikâyetçi oluyor, sağlığı günden güne bozuluyordu, Mösyö Fouille bana böyle anlatıyordu. Avukatlık görevim, deneyimim, ona duyduğum yakınlık kötü sonu düşünmemeye zorluyordu beni, günün birinde göçüp gidecekti, bundan söz etmeye cesaret edemiyordum, ama bu acı olasılık hesaba katılmalıydı, ne acı, mutsuzluk mutluluğa yardımcı olabiliyordu. Bu çözüm yolu hoşuma gitti, üzgün bir havayla birkaç kez bunu yineledim.

Mösyö Fouille ağlıyordu. Külrengi giysisinin koluyla gözlerini siliyordu. Onu avutmak için bir iki fıkra anlatmayı denedim, kendiliğinden düzeliveren olanaksız olayları anlattım. "Mucizeye inanmak gerek," dedim onu kapıya kadar geçirirken. İçini kararttığım açık açık belli olduğundan elimi sıkarken, "Ne olursa olsun bana güvenebilirsiniz," diye ekledim. Gülümsedi. Bundan emindi.

Birbirinin ardından dört perşembe yine gördüm onu. Son gün, yani yaz tatilinden önceki perşembe günü Mösyö Fouille çok iyi göründü bana. Sevgili Jeanne'ını Cenevre Gölü kıyısında küçük bir otele götürmeye karar vermişti, birlikte on beş gün geçireceklerdi, Jeanne'ının gücüne yeniden kavuşmasına yardımcı olacak, onu şımartacaktı, çünkü günden güne zayıflıyordu karısı. Bu sürede Matmazel Prune Anjou'daki ailesinin yanına gidecekti, şu son günlerde birbirleriyle öylesine çok sevişmişlerdi ki dinlenmeye gereksinim duymuştu, ileride harcamak üzere sevgilerini biriktirmişlerdi. Günde en az iki kez telefon edebilmeleri için Mösyö Fouille her şeyi ayarlamıştı, bir kısmını postaya atacakları bir kısmını da kavuşacakları an birbirlerine vermek üzere saklayacakları bir yığın mektup yazmaya söz vermişlerdi. On beş gün çabucak geçerdi, gelecek yıl birlikte Baléares Adalarına gideceklerdi, Mösyö Fouille'a mucizelere inanmak gerektiğini söylerken haklıydım, Matmazel Prune ve o mucizeye inanıyorlardı. Bir yanda göl kıyısındaki bu dinlenme Jeanne'ına büyük sevinç verecek, sabahtan akşama kadar mutlu olması için elinden geleni yapacaktı. Mösyö Fouille coşuyordu, yaşantısının ve söylediklerinin tutarsızlığını artık fark etmiyor, Jeanne'dan Prune'e, Prune'den Jeanne'a atlıyordu, her yana mutluluklar vaat ediyor, avuç avuç mutluluklar dağıtıyordu, bir parça da bana sunmak istedi, olağanüstü tatiller diledi bana, ben bunu çok çok hak etmiştim. "İyi dinlenin," dedim ona. "Dinlenmiş olarak dönün... dönüşte her şey daha iyi olacak." Hiç görmediğim kadar neşeli çıkıp gitti.

Onu eylül ayında da görmedim, ekimde de. Ve üç kasımda sabah erkenden bana telefon ettiğinde ben artık onu düşünmüyordum. Sesi hüzünlüydü, hemen beni görmek istiyordu, evet hem de çok acele, yarın çok geç olacaktı. Akşam saat sekize doğru gelmesini söyledim, sekreterim olmayacaktı, ama ne önemi vardı, ondan gelecek hiçbir şeyi reddedemezdim.

Kararlaştırdığımız saatte kapıyı çaldı. Açtım. Mösyö Fouille simsiyah giyinmişti: paltosu siyah, yün kaşkolu siyah, kravatı da siyahtı, takım elbisesi koyu renkli, yalnızca bıyığı külrengiydi, ama bana daha ağarmış gibi geldi. Mösyö Fouille zayıflamış, hemen hemen bir deri bir kemik kalmıştı, kamburlaşmış, işkence görmüş de değişmiş gibiydi. Tek söz etmeden büroma kadar arkamdan geldi. Ağlatmadan nasıl konuşturabilirdim? Bundan kuşkuluydum, deneyimime dayanarak biliyorum, ağlayan müşterileri teselli etmeyi, avutmayı hiç beceremem. Hiçbir şey söylememeyi yeğledim, masamda oturup olabildiğimce sevimli görünerek Mösyö Fouille'ün yüzüne baktım, kollarını bacaklarının üzerine koymuş, yüzü ellerinin arasında öne eğilmiş, oturmuştu. "Avukat bey... Avukat bey... Avukat Bey... Jeanne'ım öldü." "Jeanne'ım öldü," diye yineledi ve gözlerini yüzüme kaldırdı, baktı.

Becerebildiğim kadarıyla üzüntümü, sevgimi dile getirdim, ölüm hep bana korkunç görünmüştür, günlerin gecelerin paylaşıldığı yirmi beş yıllık ortak yaşamda beklenmedik bir ölüm, dayanılır gibi değildi, onu, karısını ne kadar sevdiğini biliyordum, üzüntüsünün boyutlarını kestirebiliyordum, burnunu çekip duruyor, gözyaşlarını tutmaya çalışıyordu, üzüntüsünü daha iyi belirtmek için büromun üstünden ona elimi uzattım, elimi tutmadı, ama bu jest onu cesaretlendirdi.

"Orada öldü," dedi bana.

"Orada mı?" Bu orada'nın ne demeye geldiğini anlamamıştım.

"Orada... tatilde... o kadar sevdiği o gölde."

Bu kez gerçekten ağlamaya başladı, gözyaşları çocukların gözyaşları kadar bol, yüzünden aşağı, dizlerinin üstünden, halıya dökülüyordu, acıklı öyküsünü bana anlattığında hıçkırığını tutamadı. Jeanne'ı gölde gezmeye bayılıyordu, onun hoşuna gitmesi için sandal kiralıyor, kürek çekiyordu, yoruluncaya kadar küreklere asılıyordu, karısı kürek çekmeyi de yüzmeyi de bilmiyordu, ama mutluydu, kuğuları, martıları sayıyordu, onları çağırıyor, onlarla konuşuyordu, onları daha iyi görebilmek için zaman zaman sandalı devirmek pahasına da olsa ayağa kalkıyordu, karısına hemen oturmasını söylüyor, kürek çekmeye devam ediyordu, mutlu olduğunu söylemek azdı bile, her gün yeniden başlamak istiyordu. 22 Ağustos akşamı, gölün üstünde gökyüzü kapkaranlıktı, dönmek istemişti, karısı biraz daha kalmasını rica etmişti, yağmur kaygılandırıyordu onu, martılar, sandalın peşinden gidiyor, çevresinde dönüyor, Jeanne'ı onlara dokunmayı, onları sıyırıp geçmeyi deniyordu, ayağa kalkıyor, kahkahalar atıyor, kollarını uzatıyor, düşüp oturuyordu, işte o zaman birdenbire beklenmedik bir rüzgâr çıkmıştı, vahşi bir rüzgâr, bir fırtına, Jeanne'ı o sırada boynuna atılmış, çok korkmuştu, rüzgârdan, dalgalardan ürkmüştü, kürek çekmesine engel oluyordu, kocası onu sakinleştirmeyi, kendinden uzaklaştırmayı denemişti, ama artık çok geçti; göl, fırtına, karısının saçmasapan hareketleri, her şey tersine gelişiyordu ve sandal bir darbeyle ters dönmüş, ilk dalga Jeanne'ı alıp götürmüştü, Mösyö Fouille hemen suya dalmış, onu yakalamış, kafasını kolunun altına alıp sıkıca kavramıştı Jeanne'ı, yüzünü suyun dışında tutmak için çok çabalamıştı, bir dalgayla bir başkası, bir yenisi arasında geçen zaman içinde boğuluvermişti, kendisi de onu taşımaya çalışıyor, ama dalgalar üstlerini kaplıyor, ikisini de sürüklüyordu, onu kurtarmak için çılgın gibi savaşmıştı, tam bir çılgın gibi, bir saatten fazla fırtınayla boğuşmuştu, Jeanne'ı cansız biçimsiz bir yığından başka bir şey değildi; bitkin, soluksuz durmadan yüzüyordu, korkunç bir dalga Jeanne'ını kapıp götürmüştü, bağırıp çağırmış, ama karısı yanıtlamamıştı, bağırarak her yana yüzmüş, onu bir türlü görememişti, duyamamıştı, Mösyö Fouille boğulur gibi olmuş, kendini kaybetmesine az kalmıştı, kıyıya ulaşması iki saati bulmuştu. Jeanne'ı yitik, boğulmuş, oralarda bir yerdeydi. Kendisi de ölüden beter, yapayalnızdı.

Kurtarma ekibi gecenin bir bölümünü, sonra ertesi günü Jeanne'ını aramakla geçirmişlerdi, cesedini bulmak için hiç umut yoktu, onu kıyıya belki de bir kumsala atacak olan rastlantıya güveniyorlardı. Mösyö Fouille ağlayıp sızlayarak, geceleyin Jeanne'ını çağırarak göl kıyısında arayarak, bekleyerek sekiz gün otelde kalmıştı, kaybolup giden Jeanne'ını, kendisini terk eden Jeanne'ını, Tanrının yanındaysa kendisine seslenecek olan Jeanne'ı, şimdi yalnızca sessizlik, durgun ve acımasız göl, suya dalıp çıkan martılar, onun pek çok sevdiği o martılar vardı, belki de onlar Jeanne'ını yine görebileceklerdi, ya kendisi, asla onu bir daha göremeyecekti, yaşam bitmişti. 30 Ağustos günü Paris'e gitmek için trene binmişti.

Öyküsünün sonuna geldiğinde, gözyaşları dindi ve sabit gözlerle bana baktı. Sandalda onu Jeanne'ıyla görüyordum. Göl dümdüz, pırıl pırıldı, güneş onları tatlı tatlı ısıtıyordu. Mösyö Fouille tüm gücünü ellerinde toplamıştı ve işte iki eliyle sandalı sallıyor, önce yavaş yavaş, sonra hızlı, daha hızlı. Sandal sağdan sola, sonra soldan sağa yalpalıyordu. "Ne yapıyorsun?" diyordu ona Jeanne, şaşkın şaşkın, bir yandan sandalı sallamayı hızlandırarak "Bak, ne komik," diye yanıt veriyordu kocası. Sandal birdenbire devriliyor, altüst oluyordu, Mösyö Fouille çılgın gibi yüzüyor, Jeanne'ının altında kaldığı sandaldan hızla uzaklaşıyordu, çığlık atıyor, ama kocası hiç oralı olmuyordu, artık istese de duyamazdı, o yüzüyor, karısı boğuluyordu, yine de yardım istemekten geri kalmıyordu, ama çok uzaklardaydı, kocası çabuk çabuk uzaklara yüzmüştü, bir an durmuş, sırtüstü yüzüp sessizliğe kulak kabartmıştı, martıların çığlıklarından başka bir şey duyulmuyordu ve çok uzaklarda motorlu bir geminin gürültüsü duyuluyordu, her şey bitmişti, hem de tahmin ettiğinden daha kolay, yavaş yavaş geri dönmek kalıyordu Mösyö Fouille'a, yardım çağırmalıydı, artık sandal gözden kaybolmuştu, Jeanne'ın görüntüsü de silinmiş gitmişti, yalnızdı, özgürdü.

Mösyö Fouille hep yüzüme bakıyordu. Beni görmeye gelmesinin nedeni benden birşeyler beklediği için diye düşündüm. Mutluluğunu korumamı bekliyordu benden. Onun hakkında hemen hemen her şeyi, Matmazel Prune'ü çılgınca sevdiğini, yaşamını onunla birleştirmeyi düşlediğini ve sevgili Jeanne'ının her şeyi olanaksız kıldığını, hepsini biliyordum. Onu, Mösyö Fouille'ü çıkmazın dibindeyken görmüştüm. Ve işte bir mucizeyle oradan çıkmış kurtulmuştu. Onu Matmazel Prune ile yürürken, gülerken, koşarken, Baléares Adalarının açıklarında yüzerken gözümün önüne getiriyordum. Matmazel Prune yüzmeyi biliyordu. Sonra da Çin'e gideceklerdi. Benden öyküsüne inanmamı bekliyor, dedim kendi kendime. O zaman kaygı, vicdan azabı, onu kapkara giysilere boğan tüm çirkinlikler yok olacaktı. Jeanne'ı fırtınada boğulmuş, korkunç bir biçimde ölmüştü, onu kurtarmak için elinden geleni yapmıştı, korkunç kader dedikleri buydu işte ve o sakin, mutlu, sonsuza dek sadık kalacak, her yıl Jeanne'ının boş mezarının üstünde ağlayıp sızlayacak ve neden olmasın, büfenin üstüne bir resmini bile koyacaktı.

Acısına katıldığımı söyledim ona. Acısını, ben başkalarından daha iyi kestirebilirdim. Jeanne'ını ne kadar çok sevdiğini biliyordum, onu sonuna kadar, mutluluğunu feda edecek kadar sevmişti, evet ben, ona olan sevgisi yüzünden mutlu olmaktan vazgeçtiğini biliyordum. Bütün bunları onun yüzüne söyledim ve görevinin bugünden başlayarak yaşamın keyfini çıkarmak olduğunu ve yukarılarda, Jeanne'ının onu kesinkes koruyacağını, ölülerimizin, sevgili ölülerimizin yaşamımızı sürdürmemizi hatta onlara kavuşmadan önce olabildiğince güçlü yaşama sarılmamızı beklediklerini de söyledim.

Kendini toparlamış göründü. Kapıya geldiğimizde, son kez bana şunları söyledi; "Ah bilseniz avukat bey, onu kurtarmak için ne kadar çok yüzdüm... avukat bey, ölesiye yüzdüm." Gülümsedim, bundan kuşkum olmadığını, onun hayatta kalmasının ise bir mucize olduğunu söyledim yanıt olarak. Ve her şeye karşın, ona mutlu bir yaşam diledim. Kollarıma atıldı. Ve birdenbire, belki de yalnız, rastlantıların her şeyi düzenlediğini, avukatlık mesleğimin beni güvensiz, hatta bir yargıçtan daha kuşkucu yaptığını düşündüm, ona sarıldım, suçsuzluğundan emin olsun istiyordum, ben de kendi saflığımdan emin olmak istiyordum. Ona Matmazel Prune'den haber sormaya cesaret edemedim.

Düğün davetiyesi iki ay sonra geldi. Mösyö Gaston Fouille, Auvergne'de doğduğu köyde Matmazel Simone Prune ile yaşamını birleştirecekti. Papaz beraberliklerini nikâh kıyarak onaylayacaktı. Âyinden sonra, yeni evliler kimi dostlarını birlikte eğlenmeye davet ediyorlardı. Onlardan beni bağışlamalarını rica ettim. Ne yazık ki durumum buna uygun değildi.

ERİNLİK ÇAĞI

Neredeyse kırk yaşına gelmiştim, zaman beni tedirgin etmeye başlamıştı. Piyano çalmaya karar verdim. Çocukken, piyano çalmasını annemden ve yarı sağır, öfkeli, durmadan parmaklarıma vuran, yetenekli olduğumu, ama bunu hiç kullanmadığımı homurdanan yaşlı bir öğretmenden öğrenmiştim. Tatlı, iyi niyetli bir öğretmen, daha doğrusu bir hanım öğretmen arıyordum. Bir dost bana Matmazel Write'ı salık verdi.

İklimi ve yaşamını değiştirmek için Londra'dan kalkıp buralara gelmiş, diye açıklama yaptı dostum. İngiltere'de profesyonel piyanistlik dalında iyi bir yeri varmış. Manş Denizinin öteki yakasına yapılan pek çok turneye katılmıştı, ama günün birinde kader kapıyı çalmıştı, sevdiği viyolonsel sanatçısı sıradan bir şarkıcı için kendisini, daha doğrusu kendisini ve çocuklarını yani daha üç yaşını bile doldurmamış kızlarını terk etmişti, Matmazel Write ölümün eşiğinden dönmüştü, sonra valizlerini toplamış, küçüğün elinden kaptığı gibi gemiye binmiş, Fransa'nın yolunu tutmuştu. Paris'te piyano öğretmenliği yapacaktı.

İki yıldan beri bu işi yapıyordu. Mouffetard Sokağında çok küçük bir dairede oturuyordu, ama öğrencilerini burada kabul etmiyor, kendisi onların evlerine gidiyordu. Ayrıca roman da yazıyordu, güzel romanlar hem de, kızı büyüdüğünde, bir gün yayınlayacak bunları, diye pekiştirdi dostum. Şimdilik Matmazel Write yalnızca piyano dersleri vermek ve özellikle kendini kızına adamak istiyordu.

Dostuma güvendim. Matmazel Write hakkında bana söyledikleri pek inandırıcı değildi, ama ondan sevgiyle söz etti. Matmazel Write sevimli biriydi, mutsuz olduğu besbelliydi. Bu öykü de böyle başladı.

Matmazel Write düşündüğüm gibi biriydi. Otuz yaşlarında olmalıydı. Uzun boylu, zayıftı, ama hatları düzgündü. Sımsıkı taradığı saçlarını tafta kumaştan yapılmış bir düğümle tutturduğu iri bir topuzla başının arkasında toplamıştı, iri yuvarlak gözlükleri tam bir öğretmene uygun, sert bir hava veriyordu ona. Genç kadın orkestralarda giyildiği gibi, uzun pililerle dalgalanan siyah eteklikler giyerdi. Bacaklarının güzel olduğunu sanıyordum. Piyano çalarken pedalın üzerine koymak için ayağını kaldırdığında arasıra gözüm bileklerine takılırdı, evet bacakları güzel olmalıydı, ama bu beni ilgilendirmiyordu, daha doğrusu hiç kimseyi ilgilendirmiyordu. Aramızdaki mesafeyi Matmazel Write kendisi belirliyordu. Kendinden verdiği en iyi şey gülümsemesiydi, bu da müziğe bağımlı, hiçbir şey vaat etmeyen, hiçbir şey beklemeyen donuk bir gülümsemeydi.

Çabucak ilerleme gösterdim. Matmazel Write son derece sabırlı, iyi bir öğretmendi. On kez aynı notada takılıp kalıyordum, hiç sinirlenmiyordu. Zaman zaman bana yol göstermek, beni yönlendirmek için benimle birlikte çalıyordu, omuzlarıyla başıyla tempo tutuyor, arada sırada elimi de tutuyor, istediği gibi yönlendirmek için parmaklarıma dokunuyordu, beni coşturmak için rastgele bir müziğe İngilizce, Fransızca rastgele sözler yakıştırıp şarkı söylediği de oluyordu. Durmadan "It's good," deyip "tamam oldu," diye vurguluyor, yine ta baştan alıyordu. Hiç bozmadan bir parçanın sonuna dek ulaşınca yerinden kalkıp alkışlardı, ben de onun gibi ayağa kalkar, birbirimize bakar, arasıra gülerdik, elimi tutardı, sevinirdim, ama o gülümsemesini ve maskesini çoktan takınmış olurdu.

Matmazel Write'ın yalnızca kızı için yaşadığını biliyordum. Kızı sekiz yaşlarındaydı; bir çocuğa tüm özenlerin gösterildiği bir yaş. Kızı için hayatını kazanıyordu. Kızı için hiçbir erkekle yakınlık kurmuyordu, bunları bana arkadaşım anlatmıştı. Kızıyla birlikte olmak için geceleri dışarı çıkmıyor, hiçbir erkekle görüşmüyordu. Kızının okula gitmesini istemiyordu. Her sabah onun eğitimini kendisi üstleniyordu, işte onu yalnızca öğleden sonraları ders vermek zorunda bırakan durum buydu. Küçük kız evde yalnız başına kalıyordu, ama okuyor, düşünüyordu, hatta kendi kendine şiir yazmaya bile başlamıştı, kızının bu konuda son derece yetenekli olduğunu söylüyordu annesi.

Noel geldiğinde Matmazel Write dört aya yakın bir süreden beri piyano öğretmenimdi. Saygısızlık etmeden, nasıl hoşuna gidebilirdim, özel yaşamına dokunmadan nasıl küçücük bir mutluluk verebilirdim ona? Sonunda upuzun, koyu renkli, tastamam ona uygun bir eşarp satın aldım. O perşembe yılın son dersiydi. Hiç hata yapmadan Chopin'in 3 prelüdünü çalmayı başardım, Matmazel Write yerinden kalktı, alkışladı, o zaman, piyanonun arkasındaki paketi kaptım, gururla ona uzattım, sarılmak istedim, itti beni, biraz şaşırdım, "Hoşunuza gider sanıyordum... bir eşarp bu." Yan yana ayakta duruyorduk, paketi elinde tutuyor, ama açmak için hiçbir hareket yapmıyordu, "Bunu sizi armağanınız olarak Judith'e vereceğim," dedi bana, "Onun adına teşekkür ederim size," diye ekledi. Kızı Judith'e armağan vermek hiç aklıma gelmemişti. Matmazel Write kapıya doğru ilerledi, mantosunu aldı, onu incittiğimden emindim o sırada. "Judith'i benim yerime öpün," diye mırıldandım. Elini uzattı, bana hiç bu kadar uzak görünmemişti. "İyi yıllar," diye karşılık verdi ve çekip gitti. İlk kez nota kâğıtlarını düzenlememiş, piyanonun kapağını kapatmamıştı. Tabureye oturup kaldım, kendime kızgındım, hep aşırıya kaçırıyor, hep kırıcı oluyordum, piyano öğretmenine bir giysi hatta bir eşarp bile verilmezdi, Noel öncesi öncelikle çocuklar düşünülmeliydi. Judith için küçük bir bisiklet ya da kol saati, daha iyisi kitap, hem de yaşına uygun kitaplar alabilirdim, zaten hediye seçmesini hiç beceremem, bu benim hatam değildi, hep Noel yüzündendi, yaşamım boyu hep Noel'den nefret etmişimdir ve Matmazel Write da öteki kadınlara benziyordu, hoşuna gitmek için çabalamış durmuştum, hem de ne çaba, ama hiçbir işe yaramadı, zaten hiçbir şey işe yaramayacaktı, ne alırsam alayım yine beğenmeyecekti. "Ya Judith?.. Judith'i unuttunuz!" "Peki, ama niçin Judith'i düşünecektim madam?"

Ocak ayında yine görüştük, programda Debussy vardı. Acaba tatil yüzünden miydi? Matmazel Write bana çok keyifli göründü. Judith'i İngiltere'ye götürmek için araba kiralamıştı, ıssız kıyılarda saatlerce birlikte yürüyüş yapmışlardı. Judith denize bayılıyordu, deniz kıyısında martılarla, kahvelerde para makineleriyle oynamıştı. Judith durmadan annesine, yıldızları, balıkları, gelip geçen insanları sormuştu, erinlik çağındaki çocukların tüm sorularına yanıt vermek gerekir. İngiltere Judith'e yaramıştı, çok iyi uyuyordu, tek sorun biraz öksürmesiydi. Matmazel Write, Judith'e öykünür gibi kısa ve sert öksürüklerle öksürmeye koyuldu. Cesaretlendim, Judith'i bir doktora göstermesini öğütledim, iyi bir çocuk doktoru tanıyordum, hem iyi bir bilimadamı üstelik babacan biriydi. Teşekkür etti, gerekirse adresi benden isteyecekti, ama Judith gerçekten hasta değildi, tüm çocuklar bu çağda öksürürlerdi, yaşamın bu döneminde her şey onların ilgisini çeker, ama her şey onları allak bullak eder, çekilmez kılardı. O gün, fazlasıyla atılgandım. Matmazel Write'a Judith'i neden okula göndermediğini sordum. Piyanonun başında yan yana oturmuştuk, Debussy'yi çalmaya hazır, her zamanki gibi bana başıyla işaret etmesini bekliyordum. Okulun çocukları geri bıraktığını, kendisinin Judith'e her şeyi öğretmek istediğini, beş ay sonra Judith'in sekiz yaşına basacağını söyledi ve edebiyatta, dilde, matematikte bir başkasının on beş yaşında bildiklerinden daha çok şey öğrendiğini anlattı, çünkü Matmazel Write kızına öğretebilmek için matematik dersi alıyordu. Judith her şeyi bilecek, her şeyden anlayacaktı. Erinlik çağı tıpkı zekânın her şeye egemen olduğu Aydınlanma Çağının tarihçesine benzer ve Judith başka hiçbir çocuğun olamayacağı kadar mutlu olacaktı, çünkü bilgi ve sevgi mutluluğa giden yolun anahtarıydı, bu yolları Judith'e kendisi açacaktı diye açıkladı bana. Judith güzel, duyarlı, aklıbaşında bir kızdı, yalnızca, biraz öksürüyordu, Matmazel Write kızından öylesine güzel söz ediyordu ki ona pek çok soru sormak isterdim. Judith'in hâlâ babasını görüp görmediğini, annesiyle aynı yatakta yatıp yatmadığını ve ona nasıl bir armağan verebileceğimi bilmek isterdim doğrusu. Matmazel Write'a onları bir gün yemeğe davet etmek istediğimi söyledim. "Tabii elbette," diye yanıt verdi bana, "eğer Judith hasta olmazsa tabii," diye ekledi, kızının yazdığı ilk şiirleri bana göstereceğine söz verdi, "bence bunlar birer başyapıt," dedi coşkuyla. Gülümsedim. Başıyla işaret etti, tıpkı bir çocuk gibi özene bezene çalmaya koyuldum.

Bir yıldan fazla olmuştu. Küçüklüğümde annemin yorumladığı müzik parçalarından bir kısmını şimdi ben de çalabiliyordum. Bir zamanlar annemin seslendirdiği, Fauré'nin, Duparc'ın melodilerini fazla zorlanmadan çalabiliyordum. Matmazel Write annemin yerini almıştı, melodilere özenli tınılar katan tatlı bir İngiliz aksanıyla çok hoş şarkı söylerdi. Kimi zaman, sesi yükseldikçe Matmazel Write parmaklarının ucunda doğrulur, yerden yukarılara yükselirdi, göğüsleri de kendisiyle birlikte dikleşirdi sanırım, güzel sayılabilirdi. Son ezgiyi de geride bırakınca ona Judith'ten söz açmak için içinde bulunduğu duygu yoğunluğunu fırsat bildim. Judith giderek daha iyi çalışıyordu, mutluydu, yine öksürüyor, yine şiirler yazıyordu. Ellerimizi piyanonun üzerinde kendi hallerine bırakmıştık. Matmazel Write gözlerini kapatmıştı, sanırım kendini iyi hissediyordu.

Bana yemeğe geldiği o perşembe gününü anımsıyorum. Judith'in ve kendisinin sevdiğini söylediği yemekleri fırında piliç ve bol çikolatalı pasta hazırlatmıştım. Annesi de kızı gibi grip olmuştu. Judith yüksek ateşten ötürü çok sarsılmıştı. Annesine onu getirmemesini söylemiştim. Matmazel Write da rahatsızdı, ama yine de geldi, bana Schubert'in bir plağını, dört el piyano için düzenlenmiş fa minör fantezisini getirdi, "Belki bir gün birlikte çalarız," dedi, kızıyla birlikte çekilmiş gümüş çerçeveli bir fotoğrafını armağan etti bana. Matmazel Write, Judith'i kucağında tutuyordu, çocuk iki üç yaşlarında olmalıydı, annesinin omuzlarına dek yükselen beyaz bir tülle örtülmüştü, Matmazel Write küçüğü sımsıkı kucaklamıştı, bana gülümsediğinden çok daha iyi gülümsüyordu kızına. Bana fotoğraflarını vermesine şaşırdım. Bunda bir dostluk belirtisi, bir suçortaklığı gördüm. Yemek neşeli geçti, onun hiç böyle çok konuştuğunu görmemiştim. Şaşılacak kadar ilerleme gösterdiğimi, kısa süre sonra kendisine gerek kalmayacağını söyledi bana. Judith olağanüstü güzel piyano çalıyordu, ama annesi yaşamını müziğe adamasını istemiyordu onun. "Bu kadarı da fazla," diye iç geçirdi. Çantasından kendisinin daktilo ettiği, Judith'in bir şiirini, güzden ve rüzgârın sürükleyip götürdüğü yapraklardan söz eden güzel bir şiirini çıkardı. Bir tane daha gösterdi, bunun daha güzel olduğunu söyledi. Bunları ezberleyeceğime söz verdim. Matmazel Write çikolatalı pastadan üç kez aldı, artanını Judith'in iyileşeceği zaman yemesi için çantasına koydu.

Matmazel Write'ı arkadaşlarımdan birçoğuna salık vermiştim. Bazıları ona dayanamadılar. Marc onu çok kendini beğenmiş ve kocaman topuzu kadar gülünç buldu. İki dersten ileri gidemediler. Çocukları için onu tutan Paula ancak bir ders dayanabildi ona. "Kaçık bu," dedi bana telefonda, "gerçekten kaçık, sen de uzun bacakları ve İngiliz aksanı yüzünden nitelikli biri diyorsun onun için." "Güvenme ona," diye ekledi Paula, ama o hep bana kadınlara güvenmememi öğütlerdi, ben de o çok çirkin, çok ağırkanlı iki kızının müzikten hiç anlamadıklarından emindim. Arkadaşlarımın çoğu onun iyi bir öğretmen olduğu görüşünde birleştiler, sakınımlı olmasını, cesaretinin göstergesi olan o dik kafalı gülüşünü ve yuvarlak gözlüklerinin arkasında gizlemeye çalıştığı o hüzünlü bakışını beğendiler. Tüm gücünü ona harcayarak, en iyi zamanlarını ve kendisini böylesine kızına adaması hoşlarına gitti. Judith çoğu kimse için örnek biri oldu çıktı. "Judith'e benzemeye çalış," diyorlardı çocuklarına. Judith büyüyor, gelişiyor, daha mantıklı, daha duyarlı oluyordu, dans ediyor, şarkı söylüyor, yüz metre koşuyor, tenis ve voleybol oynuyordu, dikiş dikiyor, ütü yapıyor, annesine nefis pastalar pişiriyordu. Kendi şiirlerini ciltlemeyi bile öğreniyordu.

Matmazel Write incelik gösterip beni Mouffetard Sokağındaki evine yemeğe davet etti. Evine hiç kimseyi almadığını ve böylelikle bana dostlarının arasında bir ayrıcalık sunduğunu biliyordum.

Judith, Matmazel Write'ın Fransa'da Rouen yakınlarında oturan tek akrabasının, kuzininin yanında tatilini geçiriyordu, ancak benim için bir mektup, nazik bir mektup bırakmıştı annesine, bu sekiz yaşındaki çocuk benim hakkımda çok şey duyduğunu, en kısa zamanda beni tanımak istediğini ve eğer yetişebilirse benimle yemeğe geleceğini güzelce dile getirmişti. Matmazel Write hiçbir zaman olmadığı kadar sevimliydi. Oturdukları yer bir bebek evine benziyordu. Dik bir piyano, girişte tam kapının yanında duruyordu. Matmazel Write'ın bana gösterdiği odada, üstü mavi ipek kaplı yere serilmiş yataktan başka bir şey yoktu. Judith'le birlikte burada yatıyorlardı. Karşılıklı yemek yediğimiz salonda masanın az ötesinde bir büfe vardı. Yalnızca iki sandalyesinin bulunması buraya hiç kimsenin davet edilmediğini gösteriyordu. Ne duvarda bir tablo, ne de ortada bir eşya vardı. Hiçbir yerde ne Matmazel Write'ın ne kızının ne de başkasının resminin olmaması dikkatimi çekti. Ciddi bir havayla, "Judith'e dokunmayı çok severim, onu düşlemeyi değil," dedi bana. Bu sözler şaşırttı beni, hem de çok şaşırdım. Matmazel Write dokunmaktansa düşlemek için yaratılmış gibi geliyordu bana. Suskunluğumu anlamış olmalı, piyanoya geçip Schubert'i çalmaya koyuldu, ikimiz kendimizi melankoliye kaptırdık.

Bizi ayrılmak zorunda bırakan yaz tatili geldi. Matmazel Write kızını İtalya'ya gezmeye götüreceğini söyledi. İkisi için İtalyan ressamlarını ve saraylarını tanıtan bir yığın kitap aldım. Son derste bunları Matmazel Write'a verdim. Mutlu oldu, "Judith bunlara bayılacak," dedi. Yanaklarından öpmeye cüret ettim, bir süre uzaklaşmadı benden, ya da ben öyle sandım. Kapıya çıktığımda belki de onu bir daha göremeyeceğim düşüncesine kapıldım.

Eylül ayında, tatili nasıl geçirdiklerini öğrenmek ve gelecek dersin gününü belirlemek için telefon ettim ona. Birkaç kez telefon ettim, yanıt alamadım, daha sonra da her gün telefon ettim. Milano'dan bir mektup aldığımda kaygılanmaya başlamıştım bile. Matmazel Write daha önce yazamadığı için benden özür diliyordu, Judith hastalanmıştı, daha çok öksürüyordu, zayıflıyor, zar zor çalışabiliyordu. Yaz boyu tek şiir bile yazmamıştı. Mektubunu hemen yanıtladım, sevgimi kanıtlamak için her şeye hazır olduğumu, gidebileceğimi, Milano'daki dostlarımın da ona yardım etmeye hazır olduklarını, kısacası nasıl olursa olsun yardıma hazır beklediğimi öğretmenime bildirdim. Mektubumu yanıtlamakta gecikti. İki ay sonra bir mektup daha aldım, son mektupta Matmazel Write kendisine gücenmememi, benimle çok hoş anları paylaştığını, benimle sırdaş, hatta arkadaş olduğunu, piyano çalmada gerçek ilerlemeler yaptığımı ve şimdi kendisinden vazgeçmemi benden rica ediyordu. Judith'i tedavi ettirmek için gitmek zorunda kaldığından ötürü üzgündü, Judith erinlik çağını geride bırakmıştı, zor bir döneme girmişti, şimdi garip birtakım kuruntuları vardı, geceler boyu uyanık kalıyordu. Matmazel Write, Milano'ya yerleşmeye karar vermişti, İtalya'nın iklimi Fransa'nınkinden daha iyiydi. Milano'da Paris'ten daha çok piyano dersi verecekti, çünkü İtalyanlar piyanoya bayılıyorlardı, yaşamını daha iyi kazanacaktı. Zaten yalnızca Judith için yaşıyordu ve Judith'e burada en iyi doktorlar bakacaktı. Matmazel Write elbette geçen yıllar için üzgündü, benim için de üzgündü, belki günün birinde yine görüşebilecektik, artık ona yazmayacağım için bana şimdiden teşekkür ediyordu, mektuplar zaten hiçbir şeye yaramazdı.

Tüm bunlardan pek bir anlam çıkaramadım, ama bu isteğine ya da buyruğuna saygı duydum. İlk aylar, biraz mutsuz oldum. Piyanonun başına oturduğumda Matmazel Write'ın kendisi ya da omuzlarının ve parmaklarının devinimleri gözümün önüne geliyordu. Uzun süre, onun annemin pek sevdiği bir melodiyi söylediğini duyar gibi oldum, sesleri garip bir biçimde birbirine karışıyordu, onları tek tek ya da düo yaparken duyuyordum. Bana vermiş olduğu kızıyla çekilmiş fotoğrafını seyretmek için zaman zaman çekmeceden çıkarıyordum. Bir daha Matmazel Write'tan söz edildiğini duymadım. Anısı giderek silinmeye başladı.

Bir İngiliz benimle görüşmek istediğinde on yıldan fazla zaman geçmişti. Kızkardeşinin avukatı olduğumu ve onun isteği üzerine benimle görüşmek istediğini söylemiş sekreterime, kızkardeşinin piyano öğretmenim olduğunu, geçen ay öldüğünü ve vasiyetnamesini bana bırakmış olabileceğini belirterek beni görmek için ısrarla birkaç kez aradı.

Hiçbir zaman Matmazel Write'ın avukatı olmadığımı, bana hiçbir kâğıt bırakmadığını soğuk bir biçimde ona söylemeye hazır, hatta sabırsızlanarak kabul ettim. Salonun kapısını açtığımda şaşırıp kaldım. Daha yaşlanmış, aynı havası, yuvarlak gözlüklerinin arkasında aynı bakışı, aynı anlamdan yoksun gülümsemesiyle Matmazel Write karşımda duruyordu. Mösyö Write Fransızcayı kötü konuştuğu için özür diledi benden. Ben de çok bozuk İngilizce konuşuyordum, ama çok konuşmamıza gerek yoktu. Uzun bacaklarını üst üste atmış, yüzünde kırışıklıklar, Matmazel Write zaman içinde derinleşmiş kırışıklıklarla dolu yüzüyle karşımda oturuyordu sanki, bir yaş büyük erkek kardeşiymiş, Matmazel Write Atina'da bir kamyonun çarpması sonunda anında ölmüştü, beni rahatsız ettiği için özür diliyordu, kızkardeşinin asla beceremediği gülümsemesiyle "Excuse me," diye yineliyordu. Matmazel Write romanlardan, otuz kadar el yazısı ve paketler dolusu şiirden başka birkaç mobilya dışında hiçbir şey bırakmamıştı, bunları ne yapacağını kendi kendine soruyordu, bir de kızkardeşinin ve kendisinin Londra yakınlarında bir evleri vardı, kızkardeşinin evdeki payını ne yapacağını, hakkını erkek kardeşine ya da başkasına bırakıp bırakmadığını bilmek istiyordu, çünkü İngiltere'den ayrıldığından beri hiç görüşmemişlerdi, yılda bir kez Noelde görüşüyorlardı, yaşam, deniz, her şey onları birbirinden ayırmıştı, sevgili kızkardeşi, düşlerinde, kitaplarında, müzikte yaşıyordu, kendisi, sigorta görevlisiydi, evi dilediği kişiye bırakmak istemesini anlayabilecekti, ama bunu bilmek, hem de çabucak bilmek istiyordu. Adımı, adresimi Matmazel Write'ın adres defterinden bulmuştu, geride bıraktığı küçük valiziyle birlikte bu defter de Atina Hastanesinde kendisine teslim edilmişti, işte bu yüzden beni, kızkardeşinin avukatını görmeye gelmişti.

Mösyö Write bana sevimli göründü, kendine uygun bir oturma biçimi arayarak kıpırdanıp duruyordu. İngilizce sözcüklerle karışık bir Fransızcayla ona, Matmazel Write'ın avukatı olmadığımı, bana piyano dersi verdiğini, onu çok hoş bir anı olarak sakladığımı anlattım. Yalan değildi bunlar, erkek kardeşinin çıkagelmesiyle görüntüsü yeniden gözümün önüne geliyor, yüzünü, hareketlerini yeniden karşımda buluyor, benimle konuştuğunu duyuyordum, hayır bana hiçbir kâğıt bırakmamıştı.

Mösyö Write'a kızkardeşinin vasiyetname düzenlemesine gerek olmadığını, evlerinin bulunduğu İngiltere'de, yaşamını sürdürdüğü Fransa'da, yaşamının son bulduğu Yunanistan'da, nerede olursa olsun, mirasının kızına kaldığını, - en azından ben böyle düşünüyordum - ve kızına, sevgili kızına, yavrusu Judith'e miras kalması elbette ki kendi isteğiydi, tüm bunları ona açıklamak için ciddi bir tavır takınmayı yararsız gördüm. "Judith'i ne kadar çok sevdi."

Konuşmamı bitiren bu sözcüklerden sonra, herkesi kendi duygularıyla baş başa bırakmak için sustum.

Uzun bir sessizlik oldu. Mösyö Write'ın İngilizce, Fransızca sözcükler aradığını bana bir şey söylemek istediğini sandım. Yardım etmek istedim:

"Ya Judith nasıl?"

"Judith is a dream"[1] diye yanıtladı.

---

1. "Judith bir düş ürünüydü" (Ç.N.)

Pek bir şey anlamadığımı gördü. Soru sormama fırsat vermeden, hemen konuşmaya başladı, parmaklarıyla sözcükleri ağzından çekip çıkarıyormuş gibiydi, bildiği tüm dilleri birbirine karıştırarak çabuk çabuk konuşuyordu, Judith'in bir düşten başka bir şey olmadığını söyledi bana, hiçbir erkek asla kızkardeşine yaklaşmamış, hiçbir erkek ona sarılmamıştı, kızkardeşi kafasında daha doğrusu yüreğinde yaşattığı, düşlerindeki çocuğa sahip olmuştu, çünkü kızkardeşinin uçsuz bucaksız bir yüreği vardı, yalnızca çocuğu için yaşıyordu, her şeyini ona adamıştı, ona, yürümeyi, yemek yemeyi, okumayı ve hesap yapmayı, düşünmeyi ve düş kurmayı, şarkı söylemeyi ve gülmeyi, özellikle şiir yazmayı, her şeyi öğretmişti, sevgili kızı çok yetenekliydi, çabuk öğreniyordu, özellikle çabuk serpiliyordu, hem de tehlikeli bir biçimde gelişiyordu, zaman çok hızlı geçiyordu, kızı yedi sekiz yaşlarına, erinlik çağına gelince dram ortaya çıkıyor, küçük öksürmeye başlıyordu, görünüşte zararsız, ne olduğu belirsiz bir hastalık, yıldan yıla daha da kötüleşen bir hastalık, küçük yavrunun kadın olmasına engel olacak bir hastalıktı bu, işte böyle, durumu anlamalıydım, Matmazel Write kızının kadın olmasını, bir kadın bedenine, kadın kafasına sahip olmasını artık düşleyemezdi, hem olanaksızdı, hem de korkunç, düşlerini aşıyordu bu ve Matmazel Write kızının çocuk olarak kalması için elinden geleni yapıyordu. Tam o sırada hastalık ortaya çıkıyor, kızını ele geçiriyordu, hastalık küçük yavruyu yavaş yavaş yiyip bitiriyordu, çocuk asla büyüyemeyecekti ve çocuk öksürmekten, sararıp solmaktan çaresiz kalınca Matmazel Write yer değiştirmek zorunda kalıyordu. Fransa'ya, ardından İtalya'ya, sonra Yunanistan'a yerleşmişti. Her yeni ülkede, yeni bir çocuğu oluyordu. Sekiz yıl boyunca İngiltere'de Margaret'i, yine sekiz yıl Fransa'da Judith'i, sonra da yedi yıl İtalya'da Paola'yı, en son Yunanistan'da Andromaque'ı üç yıl, yani kaza oluncaya kadar yaşatmıştı, her defasında hiç değişmeyen hep aynı çocuk; her seferinde Matmazel Write akıl almaz savaşımına yeniden başlamıştı, kızı en olağanüstü, en inanılmaz çocuktu, ama hep çocuk olarak kalmak zorundaydı. Hep kaybetmek zorunda olduğu bu savaşımdan Matmazel Write bitkin düşmüştü, kızı düşlerinde ölmüş, kendini kamyonun altına atmıştı ve en iyisi bu şekilde ölmesiydi. Mösyö Write bir an sustu. "Yaşadığı dünya için yüreği sevgi doluydu," diye ekledi.

Yanıt verecek gücüm kalmamıştı. Judith'i düşünüyordum. Mouffetard Sokağındaki yatağına uzanmış, benim aldığım eşarp üstüne örtülü, dinleniyor gibiydi, belki de uyuyordu, aklından bir şiir geçirdiğini sanıyordum, çünkü dudakları yavaşça kımıldıyordu.

Ziyaretçime yol göstermek için ayağa kalktım. Matmazel Write'ın bana hiçbir belge bırakmadığını soğuk bir biçimde söyledim ona. Bana anlattıklarına inanmakta zorluk çektiğimi de belirttim, onu yolcu etmek için elimi uzatırken şöyle konuştum:

"Judith'le iki kez karşılaşmış olduğum için öykünüze pek inanmıyorum."

Yalan söylediğime hemen pişman oldum. Ama Mösyö Write'ın yüzü gülümsemesiyle aydınlandı.

Tıpkı bir şaire ya da bir şaşkına bakıyormuş gibi yüzüme merakla bakarak elimi sıktı.

"Everything is possible, My sister was so imaginative"[1] dedi ve çıktı.

---

1. "Her şey olanaklı. Kızkardeşimin düşleri sınırsızdı." (Ç.N.)

LULU

Yılını pek iyi anımsamadığım bir haziran ayında köy kahvesinde tanıdım Lulu'yu. Provence'da otururken, ilkbahar ve sonbaharda, hem alışveriş etmek hem de biraz işten başımı kaldırmak için her gün öğlene doğru köye uğrardım. Bu güzel anları, kahvenin terasında gelen geçene bakarak çevredekilerin konuşmalarını dinleyerek ya da uzaklarda Le Lubéron'un mavi ufuk çizgisini seyrederek geçirirdim. Lulu hemen hemen aynı saatte gelirdi. Yavaş yavaş yürürdü, hiç acele etmezdi, hem kahvenin içini hem de kilise alanını görebileceği masasının yolunu tutardı, günün bu saatinde hiç kimse oturmazdı o masaya. Lulu kendine önce bir, sonra bir pastis daha ısmarlardı, bu hiçbir zaman üçü bulmazdı, olabildiğince az konuşur, konuştuğu birkaç sözcükle 'nasılsınız?', 'ya sizinkiler?' gibi hal hatır sormadan öteye gitmezdi, çevrede herkes konuşmayı sevmediğini bilirdi, ne bir gazete okuduğunu ne de bir topluluğa karıştığını görmüş değilim. Düş kuruyor, düşünüyor, zamanı akışına bırakıyor gibiydi. Ben de onun gibi yapmayı denerdim, arada sırada gülümserdim ona, gülümsemem havada kalır, beni fark etmezdi bile, ama kahveye benden sonra gelince elimi sıkardı, benden önce kalkmışsa yine vedalaşırdı benimle. Herkes gibi ben de onun dostuydum ya da hiç kimse onun dostu değildi.

Ona niye Lulu diyorlardı? Adı Hector'du. Ama aile içinde en büyük çocuğa Lulu derlermiş, herkes böyle söylüyordu. Bazıları kendisi gibi hem Lulu, hem de köylü olan babasını tanımışlardı. Babasının köye çok uzaklardan, Marsilya yakınlarında bir yerden geldiğini, boylu poslu, kadınlarla sohbet etmeyi seven biri olduğunu ve kuşkucu kocaların ona 'şaklaban Lulu' adını taktıklarını anlatıyordu köylüler. Bir kısmı bizim Lulu'nun ilk olduğunu ve bu adın ona çocukluğunda Le Lubéron'a olan düşkünlüğü yüzünden takıldığını söylüyorlardı. Gün boyu okulu asıp tekbaşına ta oralara kadar yürüyerek gidiyor, bir sedir ağacının altına uzanıp geceleyin de kaldığı oluyordu. Ya da tilkilerin, yabandomuzlarının izlerini koklaya koklaya sürüyor, tavşan yuvalarını arıyor, burnunu yerden kaldırmadan iz sürüyordu. Le Lubéron, onun krallığıydı ve yaşlandıkça saçları dağlarımızın rengini alıyordu.

Lulu'nun yaşı elli dolaylarında olmalıydı, tanımlanması zor bir yaş. Kahvede oturmuş ona bakarken hiçbir zaman genç olmadığını, hiçbir zaman yaşlanmayacağını düşünürdüm. Yüzü de tavırları gibi değişmezdi, zaman ona dokunmadan gelip geçerdi. On beş yaşındayken babası bağın ortasında birden düşüp ölünce yetim kalmıştı, bir yıl sonra da annesi üzüntüsünden ve veremden ölmüştü, köyde böyle anlatılıyordu. Lulu yapayalnız kalmıştı, ne kız ne de erkek kardeşi vardı, kendisine çok yardımcı olan Marsilya'daki yaşlı amcasından başka kimsesi yoktu, ama o yalnız yaşamak için yaratılmıştı. Ve on beş yaşından beri çiftliği tekbaşına yönetiyordu, çiftlik demek fazlaydı belki, küçük bir kulübe ve iki hektar şarap bağı, iki lavanta çiçeği tarlası, yani dört hektarlık arazi; kendi yemeğini kendi pişiriyor, alışverişi ve öteki işlerini tekbaşına yapıyordu, herkesi tanıyor, ama kimseyle görüşmüyordu. Köyde herkes, Lulu'nun pek geliri olmadığını, biraz ekmek, biraz ciğer ezmesi, bir parça beyazpeynir, öğleyin iki pastis, akşamleyin belki bir kadeh kırmızı şarapla yetindiğini bilirdi. Eski hakî renkli ceketini daha önce babasının üstünde görmüşlerdi, bu ceketi değiştirmeden ölüp gidecekti, Le Lubéron'dan dışarı çıkması söz konusu bile değildi. Lulu yaşamdan hiçbir şey beklemiyordu. Hiçbir şeye gereksinim duymuyordu.

Köyde herkesin onu sevdiği söylenemezdi. Yabanıl ve hatta tuhaf biri olarak tanınıyordu. Fırıncı kadın bana, "Sakın güvenmeyin ona," diye öğüt vermişti, bir gün fırına girmiş ekmek almadan çıkıp gitmişti. Kahvede onun hiçbir kadınla konuştuğunu duymadığımı sanıyorum. Yolda yürürken ağır ve düzenli adımlarla köye çıkarken bazıları onunla karşılaşmamak, 'nasılsınız?'ına yanıt vermemek için yollarını değiştiriyorlardı. Ama Lulu kimse için kötü konuşmazdı, borcu harcı, hiçbir takıntısı yoktu, komşularının topraklarına ayak basmazdı, köyde törenlere gelir, bir köşede otururdu, tabii ki dans etmezdi, kimse bunu aklına bile getiremezdi, ama dans edenlere bakardı, aslında onları değil geceyi seyrederdi. Arasıra bir belediye meclisi üyesi yanına gelirdi, o gün Lulu'nun tekbaşına kalmasına gönül razı olmazdı. Onu zorla bir topluluğun içine sürükler, ancak o gelince konuşmalar anında kesilirdi. Lulu teşekkür eder, yerine dönerdi, törenin sonuna kadar, gün ağarıncaya kadar, hemen hemen en sona kalırdı, saati yoktu, kilisenin çanı ona vakti bildirirdi, ama saatin önemi yoktu, onun için önemli olan, ışık, kokular ve rüzgârlardı. Gün ağarınca aynı dingin adımlarla kalkar kulübesine dönerdi.

Lulu lavanta çiçeği bahçesine, şarap bağına özene bezene bakardı. Ama gerçek yaşamı başka yerdeydi. Aklına esince güneş doğmadan yola çıkar saatlerce yürürdü, hiç dinlenmeden on saat yürüyebileceğini söylerlerdi. Le Lubéron'a çıkar, işte orada yaşardı. Sedir ağaçlarıyla konuştuğunu, onları tek tek tanıdığını, her birine birer ad taktığını düşünürdüm. Onların büyüyüp serpildiğini, dallarının uzadığını, kimilerinin de yaşlandığını seyrederdi ve onlarla arkadaşlık eder, hepsine özen gösterir, ölmelerine bile yardımcı olurdu. Ormanın ortasında ağaçlar gibi ayakta mı dururdu yoksa hayvanları beklemek için oturur muydu, bunları merak ederdim. Herhalde ilk gelenler tavşanlar olurdu, çevresinde dans eder, önce uzaktan sonra daha yakınına gelince durmadan yüzünü tırmalarlardı, önüne uzanmaya gelen iki üç yabandomuzu yaklaşınca tavşanlar çabucak kaçışırlardı. Lulu'yu tıpkı köy kahvesindeki gibi hayâl ederdim, onlara "Günaydın", "Nasılsınız?" diye sorardı, hafta içinde bir gündü, avcı yok, kaygı yok, Lulu pastisini yudumlarken, belki yabandomuzlarına da içirirdi, öğle uykusu zamanı gelince keklikler yere konar, tek yaprak bile kıpırdamaz, güneş kimseyi rahatsız etmeden tatlı tatlı süzülürdü, Lulu gözlerini kapatır kalırdı. Birini mi düşünürdü, gözlerinin karanlığında küçücük güneşleri mi seyrederdi, orada olmanın, mutlu olmanın tadını mı çıkarırdı bilmek isterdim.

Mutlu olmanın onun için hiçbir anlamı yoktu. Yaşamı ona benzemeyince kendisi yaşamına ayak uyduran bir bilgeydi Lulu. Kimi zaman onun insanların en talihlisi olduğunu düşünürdüm, kimse onu sıkboğaz etmezdi, gerçek anlamda özgürdü, hiçbir iş yapmamakta da özgürdü. Kimi zaman içim sızlardı onun için, yolunun üstündeki bir köpeğin başını okşamak için durduğunu görürdüm, akşam, kulübesinde, gözleri şömineye dalmış, birinin gelip kapısını çalmasını beklediği gözümün önüne gelirdi, bakışlarındaki kederi görmek zor değildi. Arkadaşlar benimle alay ederlerdi. "Ya Lulu nasıl?" derlerdi bana dalıp gittiğimi görünce. "Lulu şimdi bir ırmak-roman üstüne çalışıyor," derdi biri. "Şu senin yaşlı şair..." diye alay ederdi bir başkası. Ama Lulu'nun gizemli bir yönü vardı ve herkes onunla dalga geçerdi.

Bu böyle bir yıl, bir yüzyıl, hatta köyün kilisesinin çanı çaldığı sürece sürüp gidebilirdi. Babasının iki bağın arasına ya da lavantalarının üstüne düşüp öldüğü gibi Lulu'nun öleceği güne kadar sürebilirdi. Hatta dünyanın sonuna dek sürüp gidebilirdi, çünkü Lulu sonuna dek gitmek için yaratılmıştı, yıllar onun belini bükmüyordu, rüzgârın güneşin verdiği renkten başka rengi yoktu yüzünün, yüreği tıpkı sedir ağaçlarınınki gibi mevsimlerin ritmine göre atıyordu. Günün birinde onu kilisede siyah, büyük örtünün üstüne uzanmış bulabilirdik, erkek kadın herkes, hatta köpekler bile gelecekti, hepimiz üzülecek, hepimiz onun için, kendimiz için, köyümüz için dua edecektik. Lulu kilisenin çanı, République Sokağının çınarları, ölüler anıtı gibiydi, bunlar bizim değişmez görüntülerimizdi, yok olmaya hakları yoktu, öğle pastisi tadını yitirirdi yoksa. Lulu bir dosttan daha yakın, bizlerden biri, hatta vazgeçilmez biriydi, yaşamımızda yerli yerinde durmalıydı, bu böyle, biz varolduğumuz sürece sürüp gidebilirdi, ama işte olanlar oldu.

Tüm hayvanları sevdiği gibi tavşanları da severdi, ama bir başka severdi tavşanları. Dinlenmeye, rüzgârdan uzak güneşlenmeye çekildikleri, gözden uzak barınaklarda yaşadıkları için tavşanları severdi, onlar da kendisi gibi gecenin bastırmasını, sıcacık yolları ve yıldızların altında düş kurmasını sevdikleri için tavşanlara gönülden bağlıydı. Pek çok tavşan tanımış, yollarını kaybedenleri barındırmış, yaralıların yaralarını sarmıştı, ama hepsi işleri bitince yaşamından çıkıp gitmişlerdi. Aline'le böyle olmadı ama.

Aline'i henüz yuvasındayken buldu. Mayıs ayında bir gün güneş batarken, Lulu çamların arasında yürüyordu, ağaçların ve toprağın her mırıltısını kulak kabartmadan bile duyabiliyordu, hiçbir yaşam belirtisi gözünden kaçmazdı, elini toprağın içine daldırıp tam kıpırdandığı yerden çekip çıkardı Aline'i ve erkek kardeşini, Aline daha on günlük bile değildi. Kardeşini yuvaya koydu, Aline'i babasının ceketine sarıp evine getirdi, küçücüktü, tir tir titriyordu, biberonu bile almadı, Lulu bütün gece ona baktı, boşuna çabaladı, almıyordu. Şafakta Aline neredeyse ölüyordu.

Onu kurtarabilmek için Lulu, Aline'in annesiyle babasının dışkılarını karıştırdıkları o gizli deliği bulmak zorundaydı. Sabah erkenden Aline'i kendi yatağında bırakıp yola çıkmış, yuvaya kadar yürümüştü. Her tarafı koklayarak, tüm izleri sürerek aşağı yukarı 200 metre ötede aradığı yeri bulmuştu. Lulu parmaklarını sokmuş, hemen sonra, hiçbir zaman koşmayan Lulu koşarak kulübesine dönmüştü. Aline, küçük patilerini gevşetmiş, yarı ölü upuzun yatıyordu. Parmaklarına sinen kokuyu onun burnuna tutmuş, suyla süt karıştırdığı biberonu ağzına yaklaştırmış, Aline'e içirmişti, Aline iştahla durmadan biberonu ve parmaklarını emmiş, sanki kendinden geçmişti. Aline hemen tüm zamanını alır olmuştu. İlk hafta, güneş doğmadan ve karanlık basmadan önce olmak üzere günde iki kez o yuvaya gidiyordu, gitmeden önce ana babayı uzaklaştıracak her türlü tehlikeyi önlemek için başka hiçbir koku karışmasın diye ellerini iyice yıkıyordu, Aline biberonu doymak bilmeden emsin diye gün boyu ve geceleyin parmaklarında o güzelim kokuyu saklı tutuyordu. Zaman çabucak gelip geçti, Aline biberonu bıraktı. Lulu'nun içini bir korkudur aldı, Aline başını alıp gider ya da kafasını duvara vurup parçalar diye çok korktu. Ama görünüşe bakılırsa Aline kulübeden hoşlanıyordu ve birlikte yaşamaya başladılar.

Lulu bu öyküyü bana anlattığında aşağı yukarı iki aydan beri bu koklatma işi bitmişti. Biraz zorladım onu, anlatması için. Ama Aline kahvede masanın üstünde sıçrayıp duruyor, Lulu'nun her yere götürdüğü marul yapraklarını çiğneyerek yanıbaşında duruyordu. Aline'in varlığı suskunluğunu bozmaya itiyordu onu. Herkes günden güne daha da evcilleşen Aline'i okşamaya, nasıl karşılaştıklarını Lulu'ya sormaya geliyordu. Başlangıçta, bu serüveni anlatmakta zorlandı, zamanla hoşlanır oldu, Aline'i dizlerinin üzerine yerleştiriyor, ondan söz ederken burnunu Aline'inkine yaklaştırıyor, öpüşüyorlardı. O zamana kadar hiçbir tavşan tanımadığım için bir yığın soru soruyordum, o da bana fazlasıyla anlatıyordu.

Yabanıl tavşanları koşarken ya da kaçarken hiç görmemiştim, düşlerimde, yakalanacak her şeyi, rüzgâra kapılan kurumuş yaprakları, kayıp giden yıldızları, çocukken öğleden sonra uykularımı bozan sinekleri, yakalanabilecek her şeyi simgeliyorlardı, ama Aline'in bambaşka bir yaratılışı vardı. Yerinden kımıldamaz, hep dinler gözükür, masanın, güneşin, okşamaların tadını çıkarmayı severdi, insanlarla oynaşmaya bayılırdı. Lulu'nun tıpkı bir baba gibi, bir ağabey gibi gözü üstündeydi. Genellikle köy kahvesinde marul ya da haşlanmış yumurtadan oluşan yemeklerini yerlerdi. Lulu onun zevklerini paylaşmaya başlamıştı.

Bir yıl sonra her yere birlikte gider oldular. Bağda çalışırken onun arkasından tin tin yürüyordu. Köye alışveriş yapmaya getiriyordu onu. Kâh tezgâhın üzerine koyuyor, kâh omzunda gezdiriyordu, herkes Aline'e selâm veriyordu, kimileri de kucağına alıyordu onu. İkisi birlikte, arasıra Le Lubéron'a yürüyüşe çıkıyorlardı. Kollarında mı tutuyordu, yoksa önüsıra mı koşuyordu bilmiyorum. Öğleden sonraları, uykularını paylaşıyorlardı, Lulu yatıyor, onu karnının üzerine yerleştiriyordu, yabandomuzları ve tavşanlar yanlarına sokuluyor, tatlı tatlı uyuklayan ya da öyle görünen Aline'le Lulu'ya bakıyorlardı, hepsi onları rahatsız etmekten çekine çekine parmaklarının ucunda uzaklaşıyorlardı.

Lulu ile Aline'den söz edilince artık 'onlar' diyordu herkes ve biri olmadan, ötekini görünce şaşırıyorlardı. Lulu'nun bir tavşanla yaşaması konusunda dedikodu yapılamazdı. Köyümüzde hayvanlar da insanlar kadar saygı görürdü, hemen hemen herkesin köpeği vardı. Yakın bir akrabanın ölümü sevilen bir hayvanınkiyle bir tutulurdu, kaçınılmaz sondu bu, hafif ve tembel bir kadınla yaşamaktansa tapılası Aline'le yaşamak daha iyiydi. Tabii ki Lulu biraz garip kaçıyordu, kimse onun evine ayak basmıyordu, sağa mı sola mı oy verdiği bilinmiyordu, hiç kimse hakkında fikir yürütmüyor, hiçbir şey onu kızdırmıyordu, ancak Aline onun herkesin içine çıkmasını, hatta herkese sevimli görünmesini sağlamıştı.

Bana geldiği günü anımsıyorum. Mart ayıydı, yağmur yağıyordu, çalışmaya can atıyordum, ama her şey ters gidiyordu, şömine tütüyor, pencereden hüzün verici bir manzara görünüyor, birbirine girmiş yerle gök sisin içinde boğuşuyorlardı, akşamla birlikte üstüme tanımlanması zor bir iç sıkıntısı çökmüştü, kısacası, her şey beni tedirgin ediyordu. Lulu karşımdaydı, her zamanki gibi, aynı ceket, aynı bakışıyla; evime kadar gelebileceğini hiç düşünmemiştim. Bir an ne yapacağını bilmeden, içeri girmeye cesaret edemeden olduğu yerde kaldı, çizmelerini çıkardı, şöminenin yanına buyur edip içecek birşeyler ikram etmek istedim, beni olabildiğince az rahatsız etmek ya da çabucak gidebilmek için kapıya dayanmış kalmıştı. Benimle konuşmak, bana akıl danışmak istediğini söyledi, çünkü ben avukattım, kanunları biliyordum, belediye başkanıyla, papazla görüşüyordum, beni meşgul ettiği için ücretimi ödemeye hazır olduğunu söylüyor, benden özür diliyordu, ancak benim işimin başkalarıyla uğraşmak olduğunu, başkaları için kitaplar yazdığımı biliyor, kendisiyle de ilgilenmemi rica ediyordu benden.

Ona her şeyi rahatlıkla söyleyebilmem için Aline'siz gelmişti, ama o da bu girişimini onaylıyordu. İki yıldan fazla olmuştu birlikte yaşıyorlardı, Aline'le yemeğini, gecelerini paylaşıyordu. Bu durum bana garip gelebilirdi, ama daha garip olan başka şeyler de vardı değil mi, birbirlerine dokunmadan, birbirleriyle konuşmadan, her biri ötekinin ölümünü bekleyerek birlikte yaşayan kadınlarla erkekler vardı, kadınların ve kocalarının birbirinden nefret ettiklerini, birbirlerini aşağıladıklarını ve aynı yemeği paylaşıp aynı yatakta yattıklarını biliyordu, bu daha garip değil miydi. O, bir tavşana âşık olmuştu, hemen olmamıştı bu, çünkü ilk aylar onu yedirip içirmiş, daha sonra yavaş yavaş sevmeye başlamıştı ve artık ondan vazgeçemeyeceğini anlamıştı. Konuştuğu zaman bakışlarını çoraplarına, yere eğmişti, ona güven vermeye çalışıyordum, başımı sallıyor, ellerimi kavuşturuyordum, hiçbir şeyin beni şaşırtmadığını bilmesi gerekiyordu. Gündüzün Aline'e bakmaya doyamıyor, geceleyin soluk alışını dinliyordu, nelerden hoşlandığını bilmiyordu, ama olsun bir başkasının nelerden hoşlandığı zaten pek bilinmez, Aline de kendince onu seviyordu, belki iyi, belki kötü, ama birbirlerini seviyorlardı; sorun bu değildi, sorun onunla evlenmek istemesiydi. Ne olursa olsun, nerede olursa olsun, Fransa'da ya da başka yerde, onunla evlenecekti, bazı ülkelerde nasıl olursa olsun evlenildiğini duymuştu, ama hem çok uzak hem pahalıya gelirdi bu, işte bu nedenle, benden belediyede ve kilisede karı koca olmaları için onlara yardım etmemi ve tanıkları olma şerefini onlara vermemi istiyordu.

Hukukun tutuculuğunu öne sürdüm, sevgiyle kararlaştırılmış bu anlayışa göre ancak birlikte yavrular yapabilecek bir erkekle bir kadın evlenebilirdi. Aline'le onun asla çocuk yapamayacakları bir gerçekti, ama o, çocuksuz pek çok çift tanıyordu. Sonra ona yasaları, medeni ve dini yasaları değiştirmek gerekeceğini anlatmaya çalıştım. Hollanda'da erkeklerin birbiriyle evlendiklerini ve başka bir yerde bir ölüyle bir canlının evliliğine bile izin verildiğini öne sürerek şaşırttı beni. Davası üstüne epey kafa yormuştu. Hukuku haklı göstermek için kanıtlar sayıp döktüm, hiçbir yasa insanlarla hayvanların evlenmelerine izin vermezdi, hayır Lulu düş kurmamalıydı, ne devlet ne Tanrı onların evliliklerine izin verirdi, ona olan dostluğum bu gerçeği ona söylemeye zorluyordu beni. Bunun bir haksızlık, bir saçmalık olduğunu iyi biliyordum, ama yaşam saçmalıklarla doluydu. Başını yere eğmiş duruyordu, saçlarına baktım, ilk bakışta bana daha da ağarmış göründü, Lulu yaşlanıyordu. Yaşını sormanın iyi olacağını düşündüm, şaşırdı, hesaplamaya koyuldu, elli yaşındaymış, belki biraz fazla; yaş, sorununda hiçbir şeyi değiştirmiyordu, onun yaşı hayır, ama Aline'inkini sordum, ısrarla:

"Bir tavşan ne kadar yaşar?"

Yanıtlamadı. Tek söz etmeden önce sağ sonra sol çizmesini giydi. Hatamı onarmak istedim, evimi gezmesi ve bir kadeh pastis içmesi için ısrar ettim, soğuk bir biçimde hepsine hayır dedi, kapıyı açtı ve dışarı çıkınca bana şöyle söyledi:

"Bir tavşan, mösyö, dört beş yıl yaşar... ya sizin kaç yıl ömrünüz var?"

Gülmeye çalıştım, ama o sırtını dönmüştü bile, Aline'e kavuşmak için koşuyordu.

Beceriksizliğimi gidermek için her şeyi yaptım. Ondan özür dilemek için mektup yazdım, yanıtsız kaldı, sonra yasaları ve gelenekleri yeniden gözden geçirdiğimi, çok karamsar olduğumu ve kimbilir belki bir çıkar yol bulabileceğimi bildiren bir mektup daha yazdım. Kahvenin terasında karşılaştığımızda bir gün Aline'le birlikte yemeğe gelmelerini rica ettim. Razı oldu, üç kişilik yemeğimiz oldukça neşeli geçti. Aline masanın üstünde keyif çatıyordu, ben elimden gelen her inceliği gösteriyordum, Aline'in en küçük hareketine kahkahalarla gülüyordum, isteklerini yerine getirmek için çırpınıyordum, Lulu memnundu, o da. Evet, önünde sonunda onları evlendirecektik, yalnızca herkesi, belediye başkanını, papazı ve eğer gerekirse valiyi ve hatta piskoposu bile bu işe karıştırmak gerekiyordu. Lulu eskisi gibi değildi, utangaçlığını, uzaklığını geride bırakmıştı, aşk ona kanatlar takmış, uçuruyordu, herkesten evlenmelerine yardımcı olmalarını istiyordu. Aline'le belediyeye, papazın evine gidiyordu, köyün tüm sözü geçen insanlarını tek tek dolaşıyordu, köyde yalnızca yaklaşan evlilik töreninden söz ediliyordu, belediye kurulu üç toplantıyı onlara ayırdı, on kezden fazla papazla ben görüştüm. Herkes şimdi törene katılmak, düğünü kutlamak için yarışa girmişti. Lulu ve Aline'in evlenmelerine engel olmak demek, bir skandal, politik bir komplo, resmi bir yolsuzluk, Paris'ten gelen bir kötülük demekti. Düzenlemeler yapılıyor, dinsel olsun din dışı olsun metinler yorumlanıyor, benzer olaylar araştırılıyordu, kısa süre sonra köy düğün tarihini belirledi, Aline ve Lulu 9 Eylül salı günü evleneceklerdi, olağanüstü bir yazdan sonra, bağbozumundan önce Avignon'dan bir orkestra gelecek, kilise alanında dans edilecekti. Kafası bozuk olan yalnızca doktordu, Aline çok yaşamazdı, en fazla iki yıl, ama bu onları çabucak evlendirmek için yeterli bir nedendi. Birkaç kişi yazı girişimlerde bulunarak geçirdik.

Düğün töreni tüm yörenin aklından kolay kolay silinemez. Belediye ağzına kadar doluydu, köy meydanı ve çevredeki sokaklar da tıkabasa doluydu. Aline belediye başkanının masasına kurulmuştu, bir parça beyaz tül binici eğeri gibi karnının altından tutturularak Aline'in üstünü kapatmıştı. Lulu Cavillon'dan siyah bir takım elbise kiralamıştı. Biz de kravat ve cep mendili hediye etmiştik, yakışıklı olmuştu. Belediye başkanı, güneyli ağzıyla tamamladığı heyecanlı bir söylev hazırlamıştı. Hep özgürlük ve saygınlıkla birlikte andığı aşktan söz açtı, bütün engellere meydan okuyan Lulu'dan, ülkenin en değerli evlâtlarından biri olarak bir Fransız olmaya yaraşır Lulu'dan övgüyle söz etti. Aline hakkında pek fazla bir şey söylemedi, bizler gibi onun da, canlı varlıkların en alçakgönüllüsü olarak onun da sevilmeye hakkı olduğunu söyledi. Onlara sonsuz mutluluklar diledi. İlk kez Lulu'nun tam adını duydum, Hector Mabille, Aline'i kendisine eş olarak kabul ediyordu, Aline'in yanıtı biliniyordu ve bu soru ona sorulmadı. Tanık olarak dört kişiydik, tek sayfalık bir kâğıt imzaladık, evlenme kütüğüne geçmeyen bu sayfanın arşivlerde kalacağına söz verdiler bize, köy yine örnek olmuştu, öteden beri gözüpeklik ve sevginin vatanıydı burası. Kilisede hemen hemen aynı şeyler oldu, papaz kısa bir konuşma yapmayı kabul etmişti, heyecana kapıldı, tüm canlı varlıklar Tanrının evlâtlarıydı ve hiç kimsenin yaradanın işine aklı ermezdi, İsa ahırda bir inekle eşeğin arasında dünyaya gelmişti, koyunları severdi, siz de birbirinizi sevin, papaz bu sözleri birkaç kez Fransızca, sonra güneyli ağzıyla söyledi, amas-vous, amas-vous kadınlar ve erkekler olarak birbirinizi sevin, genç ve yaşlı, kedi ve köpek, tüm farklılıklara karşın birbirinizi sevin ve özellikle yaşama, herkesin yaşamına saygı gösterin, hatta en küçüğüne bile saygılı olun, gözyaşlarımızı zor tutuyorduk, papaz hiçbir zaman böylesine güzel sözler söylememişti, neden sonra âyini bitirdi. Yapacağı bir şey yoktu, onaylamaları söz konusu olamazdı, yeni evlileri de kutsayamazdı, işte bunu piskoposun aklı almazdı, ama evlilik eşleri birbirine bağlayan dinsel bir eylemdi ve Tanrı en yüce bağışlayıcıydı, yalnız Tanrının kendisi eşleri kutsayabilirdi, bu, başka kimseyi ilgilendirmezdi, yalnızca o yargılayabilirdi. Âyin sona erince, papaz Aline'i selâmladı, Lulu'yu kucakladı ve hiçbir zaman olmadığımız kadar Tanrıdan hoşnut, hep birlikte dışarı çıktık.

Dışarıda şölen bizi bekliyordu. Kiliseye gelmeyen birkaç kişi dans etmeye başlamıştı bile. Köylüler tarafından hazırlanan büfe ağzına kadar salam, sosis, sucuk ve pastalarla doluydu. Lulu, tanıklarıyla, belediye başkanı ve papazla onur masasına oturmuştu. Aline masanın üstünde kımıldamadan duruyordu. Kaygılandım. Şimdiden yaşlanmış gibiydi, belki de bu yeni yaşam onu şaşkına çevirmişti, yaşından ve korkudan tüm bedenini bir titreme almıştı. Şans eseri Lulu'nun tam karşısına oturmuştum. Bakışları üstüne güneşin batmaya başladığı Le Lubéron çizgisinden sol eliyle okşadığı sevgili Aline'ine kayıyordu. Fazla kaçırdığımız kırmızı şarap yüzünden mi yoksa dans eden çiftleri sürekli izlememizden mi – tabii ki Lulu dans etmiyordu – yoksa akordeonun sesinden mi bilmem, akşama doğru ikimizin de başı dönmeye başladı. Çevremizde tren yolları, yaşamayı zorlaştıran tüm yasalar, siyasi partilerin kokuşmuşluğu üstüne durmadan çene çalıyorlardı. Birdenbire Lulu bana işaret etti.

Benimle konuşmak istiyordu. Aline'i kucağına aldı, birbirimizden ayrı yürüdük, çam ağaçlarına doğru uzaklaşırken başımızın üstünde yıldızlar görülmeye başladığında düğünün gürültüsü uzaklarda kalmıştı. Eskiden olduğu gibi ağır ve düzenli adımlarla yürüyordu, o sırada yola çıkmıştık, köyden uzaklaşıyorduk, o ışıklar, o müzik artık bizi ilgilendirmiyordu. Zaman zaman Aline'i dudaklarının ucuyla öpmek için duruyor, sanki konuştuklarımızı duymasını istemiyormuş gibi onu kucağına bastırıp sımsıkı tutuyordu.

Aline'in kendisine benzemediğini söyledi, köyde kalmak istemediğini, gezginci bir ruhu olduğunu, yolculuk etmeyi, bir yuvadan ötekine gitmeyi, yıldızların altında dilediği yerde konaklamayı düşlüyordu Aline. Aylarca, yıllarca onunla birlikte gezeceğini söyledi bana, ne kadar süreceğini şimdiden kestiremezdi, bu onun elinde değildi. Benden, evine, topraklarına, çıkarlarına göz kulak olmamı rica ediyordu, bundan böyle bana güvenebileceğini biliyordu, evlilik töreni ve her şey için bana teşekkür ediyordu. Ona bir zamanlar söylemiş olduğum şey, yani Aline'in ömrü konusunda düşünmüş, o gün kızdığı için benden özür diliyordu, çünkü ben haklıydım. Aline'in günleri sayılıydı, bir yıl belki iki, ama zamanın ne önemi vardı, bir yıllık aşk, elli yıllık acıdan, elli yıllık yalnızlıktan daha değerliydi, sık sık ömürleri bir ay süren sinekleri, karıncaları seyrederdi, bir yılda başkalarının yüzyıllar boyu çalıştıkları kadar çalışırlardı ve öylesine neşeyle uçup duran kelebeğin iki saatçik bir ömrü vardı, evet, zamanın ne önemi vardı, yarın Lulu, Aline'le birlikte bilinmeyen bir yöne çıkıp gidecekti, artık yalnızca onunla birlikte olacak, yalnız onun için yaşayacaktı. Tanrıdan dilediği tek şey, ondan önce ölmemekti, tek kaygısı, tek duası buydu, Aline'cik hiç yalnız kalmamalıydı ve bu yüzden içmeyi bırakmıştı, sigara da içmeyecekti, bana veda ediyordu, hatta elveda diyordu, çünkü ne olacağı bilinmezdi. Benden Aline'i kucaklamamı rica etti, çünkü hiç kuşku yok onu da bir daha göremeyecektim.

Acı acı gülümsedi.

"Dul kalınca geri döneceğim," dedi.

Kucaklaştık, düğüne geri döndük.

Ertesi gün yola çıkmıştı bile.

KIRAÇ / Graciliano Ramos
BANA KUŞLARI ANLAT / António Lobo Antunes
YALNIZLIK BUYDU / Juan José Millas
TERESA İLE LAURA / Juan José Millas
KÖPEK / Alberto Vasquez-Figueroa
TUAREG / Alberto Vasquez-Figueroa
TOPRAK ACISI / Manuel Scorza
ARI KOVANI / Camilo José Cela
PASCUAL DUARTE VE AİLESİ / Camilo Jose Cela
AŞK ROMANLARI OKUYAN İHTİYAR / Luis Sepulveda
DOĞAL TARİH / Joan Perucho
ŞÖVALYELER KİTABI / Joan Perucho
YEDİ DELİLER / Roberto Arlt
GÖNÜLÇELEN / Salinger
ALTIN GÖZDE YANSIMALAR / Carson McCullers
YELKOVANSIZ SAAT / Carson McCullers
ŞARLATANLAR DÖNEMİ / Lillian Hellman
OĞLAK DÖNENCESİ / Henry Miller
SIRÇA FANUS / Sylvia Plath
DÜN SANA HABER GÖNDERDİM / J. E. Wideman
HİROŞİMA'NIN ÇİÇEKLERİ ve TOHUMLARI / Edita Morris
NASIL MISIN, İYİ MİSİN / Edita Morris
BAYAN BU ÇİÇEKLER SİZE / Paul Gallico
EN MAVİ GÖZ / Toni Morrison
KATRAN BEBEK / Toni Morrison
SULA / Toni Morrison
ALIKLAR BİRLİĞİ / John Kennedy Toole
AY SARAYI / Paul Auster
YALNIZLIĞIN KEŞFİ / Paul Auster
SON ŞEYLER ÜLKESİNDE / Paul Auster
ŞANS MÜZİĞİ / Paul Auster
ÖLESİYE / Josephine Hart
MOTEL GÜNLÜKLERİ / Sam Shepard
SIFIRDAN AZ / Bret Easton Ellis
AY VE ALTI PARA / Somerset Maugham
DALDA DURAN KUŞLAR / Jean Rhys
DÖRTLÜ / Jean Rhys
GENİŞ GENİŞ BİR DENİZ / Jean Rhys
GÜNAYDIN GECEYARISI / Jean Rhys
KARANLIKTA YOLCULUK / Jean Rhys
YANARDAĞIN ALTINDA / Malcolm Lowry
FLAUBERT'IN PAPAĞANI / Julians Barnes
JUSTINE / Lawrence Durrell (İskenderiye Dörtlüsü 1)
BALTHAZAR / Lawrence Durrell (İskenderiye Dörtlüsü 2)
MOUNTOLIVE / Lawrence Durrell (İskenderiye Dörtlüsü 3)
CLEA / Lawrence Durrell (İskenderiye Dörtlüsü 4)
MONSIEUR ya da KARANLIKLAR PRENSİ / L. Durrell
SON GİDİŞ / Evelyn Waugh
TEK BOYNUZLU AT / Iris Murdoch
AMCAM OSWALD / Roald Dahl
SON PERDE / Roald Dahl
YABANCI KUCAK / Ian McEwan
SUÇSUZ / Ian McEwan
PORSELEN DELİSİ UTZ / Muriel Spark
SEMPOZYUM / Muriel Spark
BAŞKA DÜNYALAR / Nadine Gordimer
CAM FANUS ALTINDA / Anais Nin
HENRY İLE JUNE / Anais Nin
AVARE KADIN / Colette
CİCİM / Colette
DİŞİ KEDİ / Colette

DUYGUSAL SÜRGÜN / Colette
CENNETİN KÖKLERİ / Romain Gary
POLONYA'DA BİR KUŞ VAR / Romain Gary
ŞAFAKTA VERİLMİŞ SÖZÜM VARDI / Romain Gary
UÇURTMALAR / Romain Gary
ONCA YOKSULLUK VARKEN / Emile Ajar (Romain Gary)
YALAN-ROMAN / Emile Ajar (Romain Gary)
MUTLU ÖLÜM / Albert Camus
YOLCULUK GÜNLÜKLERİ / Albert Camus
TERSİ VE YÜZÜ / Albert Camus
YAZ / Albert Camus
İNSANLARIN DÜNYASI / Saint-Exupéry
GECE UÇUŞU / Saint-Exupéry
KÜÇÜK PRENS / Saint-Exupéry
YÜREK SÖKEN / Boris Vian
PEKİN'DE SONBAHAR / Boris Vian
DOSTUM PİERROT / Raymond Queneau
ZAZIE METRODA / Raymond Queneau
İNCİR AĞACININ ÖLÜMÜ / Robert Sabatier
İÇİMİZDEKİ ŞEYTAN / Raymond Radiguet
ORGEL KONTUNUN BALOSU / Raymond Radiguet
BİR KIŞ GÜNÜ ÖĞLEDEN SONRA / Marguerite Duras
SEVGİLİ / Marguerite Duras
KUZEY ÇİNLİ SEVGİLİ / Marguerite Duras
MAVİ GÖZLER SİYAH SAÇLAR / Marguerite Duras
NORMA / Emmanuel Roblès
YIRTICILARIN ALACAKARANLIKTA SAVAŞI / H.F.Blanc
ÇOCUK VE IRMAK / Henri Bosco
BAŞINA BUYRUK BİR KADIN / Michel del Castillo
ÇAĞIMIZIN ÇOCUĞU / Michel del Castillo
KARAR GECESİ / Michel del Castillo
KRALA VEDA / Pierre Schondoerffer
GECELERİN KİTABI / Sylvie Germain
AMBER GECE / Sylvie Germain
OKUMACI KIZ / Raymond Jean
BÜYÜK YOLCULUK / Jorge Semprun
MAHABHARATA / Jean-Claude Carière
KÖPEĞİME MEKTUP / François Nourissier
DEĞİŞME / Michel Butor
HASTANE GÜNLÜĞÜ (Cytomégalovirüs) / Hervé Guibert
DÜNYANIN BÜTÜN SABAHLARI / Pascal Quignard
YIKINTI ÇİÇEKLERİ / Patrick Modiano
KUM ÇOCUK / Tahar Ben Jelloun
KUTSAL GECE / Tahar Ben Jelloun
TANCA'DA SESSİZ BİR GÜN / Tahar Ben Jelloun
ÇARPIK SEVDA (Homo Faber) Max Frisch
KİRAZ BAYRAMI / Ernst Glaeser
BİR SAVAŞ SONU / Siegfried Lenz
GÜVERCİN / Patrick Süskind
KOKU / Patrick Süskind
MALİNA / İngeborg Bachman
PARÇALANMIŞ GERÇEKLİK / Manès Sperber
BABAFİNGO / Luigi Marba
TANRIYI GÖREN KÖPEK / Dino Buzzati
AĞACA TÜNEYEN BARON / Italo Calvino
BİR KIŞ GECESİ EĞER BİR YOLCU / Italo Calvino
İKİYE BÖLÜNEN VİKONT / Italo Calvino
KOZMOKOMİK ÖYKÜLER / Italo Calvino
MARCOVALDO-KENTTE MEVSİMLER / Italo Calvino
PALOMAR / Italo Calvino
ZOR SEVDALAR / Italo Calvino

TEOREMA / Pier Paulo Pasolini
FİL / Elio Vittorini
SEVGİLİ MICHELE / Natalia Ginzburg
KENTE GİDEN YOL / Natalia Ginzburg
ENDÜLÜS ŞALI / Elsa Morante
BAHÇE KÜLLER / Danilo Kis
BABİL'İN CEZASI / Arrabal
FOUCAULT SARKACI / Umberto Eco
GÜLÜN ADI / Umberto Eco
ÖLÜ ORDUNUN GENERALİ / İsmail Kadare
KURU BEYAZ BİR MEVSİM / André Brink
AĞLA SEVGİLİ YURDUM / Alan Paton
TÜTÜN / Dimitır Dimov
AYRILIK VALSİ / Milan Kundera
GÜLÜŞÜN VE UNUTUŞUN KİTABI / Milan Kundera
ŞAKA / Milan Kundera
TRENLER / Hrabal
KROKODİL SOKAĞI / Bruno Schulz
KOSMOS / Witold Gombrwicz
KÜLLER VE ELMAS / Jerzy Andrzejewsky
TEHLİKE KOLU / Andonis Samarakis
YAPAYALNIZ KALACAKSIN / Theodorakis
ÖLÜM HÜCRESİ / Arthur Koestler
FIRTINA ÇOCUKLARI / Themos Kornaros
HAYDARİ KAMPI / Themos Kornaros
SAVAŞTAN KORKUYORUM / Stratis Mirivilis
BORANLA GELEN / Nikiforos Vrettakos
GÜNDÜZ DÜŞLERİ / Vassilis Vassilikos
ÖLÜMSÜZ / Vassilis Vassilikos
GÜNDEN KALANLAR / Kazuo İşiguro
UZAK TEPELER / Kazua İşigura
BAHAR KARLARI (bereket denizi: 1) / Yukio Mişima
KAÇAK ATLAR (bereket denizi: 2) / Yukio Mişima
ŞAFAK TAPINAĞI (bereket denizi: 3) / Yukio Mişima
YAZ ORTASINDA ÖLÜM / Yukio Mişima
GÖL / Kawabata
ASTAÇEV PARİS'TE / Nina Berberova
EŞLİK EDEN / Nina Berberova
KARA ACI / Nina Berberova
UŞAK İLE YOSMA / Nina Berberova
YABAN YEMİŞLERİ / Yevtuşenko
GÜNEŞİ GÖRÜYORUM / Dumbadze
MOLİÈRE EFENDİ / Bulgakov
UFACIKTIM / Dora Gabe
DERVİŞ VE ÖLÜM / Meşa Selimoviç
BARAGAN'IN DEVEDİKENLERİ / Panait İstrati
FURUĞ'UN ÖYKÜSÜ / Celal Hosrovşahi
ACI VE GÜLÜMSEME / Abdüllatif Lâabi
ŞEYTANIN KARISI JENNY MARX / Françoise Giroud
NELSON MANDELA İÇİN / 15 yazar
KADININ CİNSEL SORUNLARI / Dr. L. Lanson
SOSYAL MÜCADELELERİN TARİHİ / Max Beer